【佛学入门四书】

太虚大师 ◎ 著

佛学指南

人民东方出版传媒

东方出版社

太虚大师

晋太元中武陵人捕鱼为业缘
溪行忘路之远近忽逢桃花林夹
岸数百步中无杂树芳草鲜美

落英缤纷渔人甚异之复前行欲
穷其林林尽水源便得一山山有小口
髣髴若有光便舍船从口入初极

狭缠通人复行数十步豁然开朗
土地平旷屋舍俨然有良田美池桑
竹之属阡陌交通鸡犬相闻其中往

来种作男女衣着悉如外人黄发
垂髫并怡然自乐见渔人乃大惊
其昌仁兄大人正政
太虚

太虚大师手迹

英国佛教会惠存 ... 太虚 赠

8 T'ai-hsü in London, 1929.

太虚大师在伦敦街头

　　1928 年秋，太虚大师出访欧美。途经香港、西贡、新加坡、锡兰（今斯里兰卡）、埃及，遍历英、德、法、荷、比、美诸国，宣讲佛学。10 月 23 日，抵达英国伦敦。在那里，大师介绍了中国佛教的现状，让更多的英国人士了解中国的情况，并与著名哲学家罗素进行了亲切会晤。

世界佛学苑图书馆全体馆员摄影

　　1932 年 9 月，太虚大师会同法舫法师、汤铸新居士等佛教有志之士将武昌佛学院改制为世界佛学苑图书馆，成立了我国佛教近代史上第一个研究型图书馆，它传播了先进的科学知识和佛教思想，为近代佛教的复兴起到了积极的推动作用。

释迦牟尼佛降生图

　　释迦牟尼佛，原名乔达摩·悉达多，父亲是古印度迦毗罗卫城的城主净饭王，母亲摩耶夫人。据佛经记载，摩耶夫人临分娩前于蓝毗尼园，见一棵无忧树树枝柔软低垂，即举右手攀之，佛遂从母右胁降生。

初转法轮　佛度五比丘

　　佛陀悟道后，即在鹿野苑开始传道，为憍陈如等五比丘宣说"四圣谛"。这是佛陀的第一次说法，被称为"初转法轮"。从这时起，便具足了三宝，成为佛教僧团的开端。

般若波羅蜜多心經　唐玄奘法師譯

觀自在菩薩行深般若波羅蜜多時照見五蘊皆空度一切苦厄舍利子色不異空空不異色色即是色受想行識亦復如是舍利子是諸法空相不生不滅不垢不淨不增不減是故空中無色無受想行識無眼耳鼻舌身意無色聲香味觸法無眼界乃至無意識界無無明亦無無明盡乃至無老死亦無老死盡無苦集滅道無智亦無得以無所得故菩提薩埵依般若波羅蜜多故心無罣礙無罣礙故無有恐怖遠離顛倒夢想究竟涅槃三世諸佛依般若波羅蜜多故得阿耨多羅三藐三菩提故知般若波羅蜜多是大神咒是大明咒是無上咒是無等等咒能除一切苦真實不虛故說般若波羅蜜多咒即說咒曰揭諦揭諦波羅揭諦波羅僧揭諦菩提薩婆訶

佛曆二五三七年九月　趙樸初和南敬書

赵朴初书《波若波罗密多心经》

　　《波若波罗密多心经》简称《心经》，是般若类的经典。全经只有一卷，260 字，属于《大品般若经》中的一节。它由浅入深地概括了《大品般若》的义理精要，被认为言简而义丰，词寡而旨深。该经曾有过多种汉译本，较为有名的是后秦鸠摩罗什所译的《摩诃般若波罗蜜大明咒经》和唐朝玄奘法师所译的《般若波罗蜜多心经》。

小九华寺

　　光绪三十一年，太虚大师入苏州小九华寺披剃为僧，取法名唯心。小九华寺又名九华禅院，建于明万历四十四年（1685 年）。当时规模宏大，设有大士殿、药师殿、刘工祠等，是江南的一座名刹。寺内有一棵茎如碗口，枝叶茂盛的桂花树，相传是当年太虚大师到小九华寺出家时亲手栽下的。

我的宗教体验

太虚大师

我初出家，虽然有很多复杂的因缘，而最主要的还是仙佛不分，想得神通而出家。所以受戒、读经、参禅，都是想得神通。出家的最初一年，是在这样莫名其妙的追求中度过的。第一年已经读熟了《法华经》，每日可背诵五六部。第二年夏天听讲《法华经》，始知佛与仙及天神不同。曾住禅堂参禅，要得开悟的心很切，一方面读《楞严经》，一方面看语录及高僧传等。第三年又听讲了《楞严经》，对于天台教观已有了大体的了解。并旁研及贤首五教仪、相宗八要等。而参究话头的闷葫芦，仍挂在心上。

秋天去住藏经阁看藏经，那时喜欢看《憨山集》《紫柏集》，及其他古德诗文集与经论等。如此经过了几个月，同看藏经的有一位老首座告诉我说："看藏经不可东翻西找，要从头依次的看到尾。"当时我因找不到阅藏头路，就依他的话，从大藏经最前的《大般若经》看起。

看了个把月，身心渐渐地安定了。四百卷地大般若尚未看完，有一日，看到"一切法不可得，乃至有一法过于涅槃者，亦不可得！"身心世界忽然的顿空，但并没有失去知觉。在这一刹那空觉中，没有我和万物的世界对待。一转瞬间明见世界万物都在无边的大空觉中，而都是没有实体的影子一般。这种境界，经过一两点钟，起座后仍觉到身心非常的轻快、恬适。在二三十天的中间，都是如此。

《大般若经》阅后改看《华严经》，觉到华藏刹海，宛然是自心境界，莫不空灵活泼；从前所参的禅话，所记的教理，都溶化无痕了。我从前的记忆力很强，只要用心看一遍就能背诵。但从此后变成理解力强而没有记性了。

我原没有好好的读过书，但从那一回以后，我每天写出的非诗非歌的文字很多。口舌笔墨的辩才，均达到了非常的敏锐锋利。同看经的有后作金山方丈的静观和尚等，他们疑我得了憨山大师所说一般的禅病，但我心中很安定。

我现在想起来，当时如从这种定慧心继续下去，三乘的圣果是可以成就的。可惜当时就改了途径，因为遇到了一位华山法师，他那时就在杭州办僧学校，暂来藏经阁休息。大家说起我的神慧，他与我谈到科学的天文、地理与物理、化学等常识；并携示《天演论》、康有为《大同书》、谭嗣同《仁学》、《章太炎文集》、梁启超《饮冰室》等书要我看。我起初不信，因为我读过的书，只是中国古来的经史诗文与佛教经籍。当时与他辩论了十几天，积数十万言。后来觉他颇有道理，对于谭嗣同的仁学，尤极为钦佩。由此转变生起了以佛法救世救人救国救民的悲愿心。

当时，以为就可凭自所得的佛法，再充实些新知识，便能救世。

次年乃从八指头陀办僧教育会；冬天又同去参加镇江所开的江苏僧教育会；继又参加杨仁山居士预备复兴印度佛教的祇园精舍。

自此以后，就没有依了以前的禅定去修，这样从光绪三十四年，一直到民国三年。欧战爆发，对于西洋的学说及自己以佛法救世的力量发生怀疑，觉到如此的荒弃光阴下去，甚不值得，遂到普陀山去闭关。

闭关二三个月后，有一次晚上静坐，在心渐静时，闻到前寺的打钟声，好像心念完全被打断了，冥然罔觉，没有知识，一直到第二天早钟时，才生起觉心。最初，只觉到光明音声遍满虚空，虚空、光明、声音浑然一片；没有物我内外。嗣即生起分别心，而渐次恢复了平凡心境。自此，我对于起信、楞严的意义，像是自己所见到的，所以我当时就开始著成了楞严摄论。

经过这次后，继续看经，著书，坐禅。这一年中专看法相唯识书。当时其他的经论虽亦参看，但很注意看唯识述记。述记中释"假智诠不得自相"一段，反复看了好多次，有一又入了定心现观。这与前两次不同，见到因缘生法有很深的条理，秩然丝毫不乱。这一种心境，以后每一静心观察，就能再现。

从此于思想文字等都有改变，从前是空灵活泼的，以后则转入条理深细紧密的一途；在此时所写出的文章不同，亦看得出。

上述经过定境三次，都因后来事缘纷集的时间太多，致不能有长时的深造成就。

自从经过第一次后，我的记忆力便没有以前好，但理解力很深。那年头发已变白，眼已近视，但后来头发转青了，眼睛到现在未变。经过第二次后，起信、楞严的由觉而不觉的缘起相，得了证明。第三次现观唯识的因果法相。古人所谓不昧因果，实在一一皆有条理、秩然而不紊乱的因果。

经过这三次的定境，每一次心理生理都有改变，并曾偶然有过天眼、天耳、他心通的征兆；六通可能，则建基天眼、宿命通上的业果流转相续亦决可信。因为悲愿心太重，未能向禅定去继续深进。所以没有次第，可为别人修证的依止。

目　　录

佛学概论

中国佛学

目　录

佛学概论

绪　言

　　佛教，平常都以寺庵中之僧尼为代表，以为不过一种礼拜式之宗教，何学之可言，此曰佛学，未免有所未喻，故先将学字解释之。学字常义有二：一、是动词。如学习、学作，凡有所摹效练习，均可名学，如小儿学语、学行等。二、是名词。如学理、学说，凡持之有故，言之成理，前后相应，有精深详密之条理者，如科学、哲学等，方可名学。今称佛学，亦指有精密条理之学理而言。

　　向来佛徒有所谓学佛与佛学之二语。学佛者，谓实践修行；而佛学则讲求明确精密之学理。其实学佛与佛学非二，凡学佛必先了解佛学之真理，然后始能贯彻实行。故欲实行学佛，必先究明佛之学理。佛之学理，尤贵实证。如依佛典固可得其理解，然所求之理解乃是佛智所实证之境，若仅作为一种研究，则实际上仍未能证得。故讲学应期于实证，期实证则须学佛之所行。

佛教何以有学？通常佛典内多称佛法，有人言佛法即哲学，佛法即宗教；有人言佛法非哲学，亦非宗教，只能称佛法。今将佛法分为四种，即教、理、行、果是也。教者，即佛现身于世间所说之法，遗留于后世教化有情者。在当时仅有言说，未留文字，故无书籍。其所说之语言，以音声为体，依声之高下长短成为名，集名成为句，名句依于文。多名多句多文之积聚，在佛学上谓之名句文身。此多名句文身，在佛当日以声为主，闻者依佛所教修证，无文字之必要。及至佛说法度人事终，灭度之后，弟子因佛去世，恐后无所宗依，故将大众所闻于佛之教法，就忆持多闻者传诵所闻，由大众证明录成经典，此即佛之遗教。此佛之遗教，与通常之学理学说不同。盖通常之学说，乃依半明半昧之常识推究所成，以所已知者推所未知，如科学方法，在其推究之中，得一番经验加一层知识；若昔言天圆地方，后知地本球形，则说无确定，义时变动。佛之教法与余学来源不同，乃是纯由圣智中所流出之至教。故于教法上言，不能不用信力领受之，此点与信宗教无异。佛法非宗教，亦非不是宗教，故欲讲佛法必先有佛。佛者，乃佛陀之简称，系觉者之义。觉者指已得无上正遍觉之人。此界中已得无上正遍觉者，曾有释迦牟尼佛现身世间，说法度人，因有教法遗传人世。然又不同其余宗教者，则吾人能实行实证到于无上正觉，吾人亦即成佛，故吾人于佛终可

绪　言

平等。惟在未成佛以前，欲求成佛，不可不先信受佛之教法。然此信亦非盲从之信，盖吾人若信有法界诸法之真实理，则觉悟此真理至于圆满者，即是无上正觉。在佛之无上正觉中，无一刹那间不彻上彻下、彻内彻外、完全明了觉知者，非前念知一、后念又知一也。在佛自觉已到圆满地位，更不须学说学理及学习学作之学，故曰无学。然佛证入究竟觉悟境界，如虚空，如大圆镜无不含照，而一切众生未能证入法界万有之真实相。所以迷昧颠倒，生出许多烦恼痛苦，佛悲悯之，故施设名句文身之教法，使之觉悟。

佛之教法有两方面。一者符契真理，佛一念中普遍照了法界万有之真实理，时时相应，无有一毫谬误，故所说法皆契真理。一方面又符契根机，闻法者是何等根器，何种机感，即为之方便解说。此之两方似相冲突，以众生心智不与佛齐，随顺众生则不契理。然随机说法乃佛行化之权巧，渐次皆令通到佛之境界，所谓皆令入佛知见，此为无上遍正觉中施设流出之教法。惟此种施设，必系应机而起，佛与佛则不用此也。此所施设流出之教法，依万法唯识言之，则有两方面：一、无漏清净之名句文身，自无上遍正觉之佛心中流出，此由众生机感乃自佛心中流出，谓之本质教。二、佛心所流出之名句文身，吾人不能直接亲缘，只能以有漏心依之为增上缘，在自心中生一种影象，谓之影象教。推此影象归于本质，则佛教中所谓圣教或至教，乃为历千古而不变，推四海而皆准之常法，无学可言。所以佛有学者，则在第二理法。其能诠理之影象教，系以佛说为增上缘，闻法者对于所闻之教法，思惟观察得有了解，乃有佛教学理。凡称为经者，皆是佛所说之法。后来又有依佛教法详细申论推阐者，则称之曰论。在论之成为精密详确之学理者，如《大毗婆沙论》、《瑜伽师地论》等是也。推其根源，皆自佛所遗留之教法来者。佛之教法，本由得无上遍正觉而出，故吾人欲知佛教之真理，亦必须证得无上遍正觉。如何始可证之，又必讲求修行方法，故第三者须讲行。而行中有三增上学，即戒、定、慧是也。所谓如何持戒，如何修禅定，如何得大智慧。如此修行，则可得无上遍正觉，即是大菩提果，证知法界诸法实相，此即第四所谓果也。既得以后，亦可以此开示觉悟他人。

然教、理、行、果亦非截然隔别者，盖思惟观察即是行，因行而理愈明，理解与行同时并进，如行路然，目之与足同时发生作用。且虽少明理解未达究竟果位，然亦已成效果，虽少有效果不以自足，故能终达无上遍正觉也。常人思想知识皆不离我执法执，故所谓各种学理，不免妄情卜度推测，不能认为究竟真理。欲求真理，不能不依佛之教法，或古来大德之学理为研究时之根据。然则佛之学理，一为得圣果三乘有学之学理，半依圣教半依自证而成；一为初学者外内凡之学理，全依圣教闻思而成。佛学一名，大略如是。

第一章

因缘所生法（五乘共学）

第一节 总 论

因缘所生法，是佛法之大宗，五乘之共学。以佛之说法，应闻法者根机而说，大致分为五类：一、人乘。人乘中之圣，即是圣人。二、超出人类之天乘。佛说之天，与别种宗教所崇天神不同，乃三界中一种胜过人间之超人世界。此为世间二乘。更有一种人，以生天犹有限量穷尽，欲求永离流转，于是有出世三乘法。出世三乘法者，目的在解脱生死，得永久安宁。一、声闻乘。以依佛说法音声，始发心觉悟得解脱故。二、辟支佛乘。辟支佛译言独觉，亦曰缘觉。声闻乘闻佛说四谛，从苦谛上悟入，而辟支佛乘由集谛上悟入，故较声闻乘为深。

以由苦之缘起悟入，故曰缘觉。以无须听法亦得悟了，故亦曰独觉。然以独觉而不遍觉有情，故下于佛乘。三、由此以上有佛乘、菩萨乘，故曰五乘。以其根器不同，依佛教法所解学理亦不同，然以皆为佛教之学理，故有五乘共通之学理也。共通学理者何？即五乘共明"因缘所生法"之义也。因缘所生法，亦曰诸法因缘生。此所云法，遍于五乘，以世出世间法皆因缘所生故。此中先明法字义。法者，义言轨持；轨者，轨范他解；持者，任持自性。自性犹云自体，如笔有笔之自体，以不失自体，故能轨他心使了解其为笔也。如铅笔自体不失，即可使他物了解其为铅笔，具此二义，皆名曰法。无论事事物物，一切所有皆可曰法，非但"有"者是法，即"无"亦是法。故法之范围，极为宽广。法之分类有数种，大分之曰有法、无法。在有法中，曰有为法、无为法。在有为法中分二：一、心法，二、色法。佛典所谓法界诸法，即一切法之总称，如普通言宇宙万有是。此中因缘所生法之法，是指有为法，然无法与无为法亦不离此。以无为法即有为法之真实性故，以无法即因缘所生法之已过或未来，或为因缘所生法上之假想，如龟毛兔角故。因缘所生法，虽包有无诸法，而此云因缘所生法，则专就有为法说。因缘者，或合因缘为一名辞，或单曰因，或单曰缘，佛典中常见之。此处当分开讲。合因与缘通称曰缘者有四；缘者，彼法对于此法有力能生，则彼法对此法即曰缘。一、因缘，二、增上缘，三、所缘缘，四、等无间缘。第一种因缘即因，下三种即缘。有为法分心法、色法，心法即精神，色法即物质。色法有因缘、增上缘即可生起，而在心法中须加所缘缘及等无间缘，此二者本可包于增上缘中，以其在心法中殊重要故，则分为二。

因缘细讲颇奥，浅言之，即就作因之本身，转成所生之法者曰因。佛典虽皆讲因缘，而法相唯识之《瑜伽师地论》、《成唯识论》等讲较精详。万有因缘，即阿赖耶识中之种子，此识如地中藏有能生一切草木之种子。此能生之种子，谓之亲因缘，余则增上缘也。譬之草木，种子为亲因缘，日光水土皆增上缘也。然依真义释之，草木种子仍非亲因缘，亦是增上缘，真因缘乃阿赖耶识中能生起诸法之种子也。

增上缘，乃依别种已生起之物为助起耳。依佛法看，通俗所谓因，都非藏识种子，只是已现之法，是对于此法相助而生，即是增上缘。有一种是顺益增上缘，有一种是违损增上缘，以有彼法能使此法之或生或灭，增加胜进，故曰增上缘。此增上缘有必要或不必要之别，其不必要之增上缘，非但增长此法者为增上缘，或阻障此法生长，破坏此法存立，亦属违损增上缘，故增上缘义极宽泛。铅笔有铅有木，推此铅此木之成因无穷无尽，故无论讲何种法，必皆讲完宇宙诸法，而后始全。然只就得成此法直接必要之增上缘言，则有限量可语耳。

心法者，能了知能识别之功能也。成此能知识之知识，必有被知识所知之法，苟无此法，则知识不能成立，是即所缘缘。所缘，即所思维所观察之谓，必有所思察之法，为有力能生之缘，始能有此知识。吾人有一知识，必有一所知识之必要条件，是曰所缘缘。此所缘缘，亦即知识上之所有，非在知识之外，所缘缘与知识不分先后，是心法中所知之一切法也。

等无间缘，等者同类为义，无间者无间隔义，以先后两同类法中无所间隔故。——世人以色法有空间分位，而心法但时间分位——如佛法中说一念一刹那，皆指极短的时分，谓一生即灭，此时间中谓之一念心，一刹那心。心法之生灭并非单纯，故曰一聚。要兹一聚心法灭下，后一聚心法始能生起，即如意识生起，前一刹那意识心聚未灭，则后一刹那意识心聚不生，此前念之灭，即后念能生之缘，故心法无空间关系，惟有时间关系。然此念念开导，不必连接无断，而以中无间隔故曰无间。时分是依心识流动刹那生灭而假设，吾人平时所觉心境，皆现前生灭相续之意识境，至无意识生灭时，如睡眠无梦，或一小时乃至一年，皆无时间相可得。是故空间是物质假相，时分是心法生灭假相。

因缘所生法，即宇宙万有诸法。依佛法义，世间诸法皆因缘生，空无自性。世或言上帝造成，或言大梵天生，或言地水火风所生，或言阴阳太极生，或言原子电子生，或说由虚空生。佛法不如是，以是诸论，皆执一端故。盖凡因缘，亦所生法，即阿赖耶种子亦所生法，是故一切法皆因缘所生。而因缘又即为一切法，此关系之众缘无际无尽，故佛法明因缘生诸法真象，无边无中，无始无终，一切分别对待之所执，皆安不上。世间之所执，于佛法明因缘所生法义上，都打破之。此五乘共通最低限度所明——因缘所生法——之学理，今分说如下。

第二节　无始流转

因缘所生法（法界诸法），即通常言世界万有。因缘者，非于世界万有之外别有其物，因者以世界万有为因，缘者亦以世界万有为缘，是无边无中，无始无终者。此诸法是有为生灭法，相续生灭，有似旋流。《成唯识论》云："恒转如暴流。"以刹那生灭，后一刹那即非前一刹那，是故世界万有皆以生灭相续为相。其来无始，其去无终，皆以转为义。转有转起转现二义，转起者，以转而生起；转现者，以转而显现。此无始流转，亦即世界万有诸法之真相。以无固定起时，故曰无始流；以刹那流转，故曰无始流转。

一、心之分析

在无始流转中，心法最要，故先以分析。今分心为二部：一、心识，二、心所有法。心识又分二类：一、不恒行者，以不恒时现起流行，故曰不恒行，即指眼耳鼻舌身意前六识言。《成唯识论》等说之甚详，今不具述。二、恒行者，无一时不现起流行，故曰恒行，即末那识、阿赖耶识。末那识正翻意识，第六识亦名意识者，以依第七识现起流行，故亦假末那识之意名。或翻末那为染污意者非是，意者恒审思量为义故。阿赖耶翻藏，亦云第八识，含藏一切法种子，即因缘中之因，所有能生诸法功力，即曰种子，万法之因藏在此识中，故曰能藏识。又以隐藏在有情根身之中，为有情根身及器界之所藏，故曰所藏识。两类八种心识略如此。

吾人平时即末那识亦辨不清，所能辨者仅散意识，前五识亦不易明，只知为五根（五官）之知觉而已。其实五根并非五识，不过五识依五官为增上缘而现起尔。世人以助五识之增上缘，认为自有知觉者非是，如人戴眼镜，镜能助见而镜非见。吾人用内省法审观意识时，与前五识同行之明了意识，亦不易察觉，可察觉者，惟散位独头意识。独头意识有三种：一、散位独头意识；二、定位独头意识；三、梦位独头意识。此散位独头意识，吾辈平日认为意识，实已非意识之全体，只是散乱独头意识，凡言知觉知识皆属之。至恒行二识，通俗所谓"无意识之精神作用"，即有此二识意思在内。《楞伽经》、《瑜伽师地论》等皆有详说。因有此二恒行心识，即在沉睡中仍是活人而非死人，此二识今皆由比量得之，然有圣教可依，而圣教非由推测，乃由圣智实证流出。此"无意识之精神"，在今日心理学上始成重大问题，

第一章　因缘所生法（五乘共学）

而佛法中早已彻底了知矣。

心所有法中，分遍行五种，别境五种，善十一种（佛法中所谓善恶，指现后皆有益、彼此皆有益者为善，反之即为非善。遍行、别境，是非善非染）六根本烦恼，二十随烦恼，是不善及无记性（六根本中邪见亦曰不正见，可更分五种）。根本烦恼之支流曰随烦恼，二十随烦恼又可分三小类。此外复有不定四种，即寻求、伺察、睡眠、懊悔。

二、烦恼业生

依上心之分析，已知有所谓烦恼心。烦恼者，亦即心识系中之染污心法。在恒行心识系中成恒行烦恼，在不恒行心识系中成不恒行烦恼。如末那识中我痴、我见、我慢、我爱等烦恼，在异生心识无一刻不流转，如不流转即至圣位。我痴者，即无明；无明者，不明阿赖耶识。末那识以阿赖耶识为对境，由此无明妄认为我，此即我见。由我见生我慢，由是执彼赖耶为我而起我爱，此是恒常有者，至证圣果始伏断，至成佛始断尽。既恒行有二识，何独云末那烦恼而不及阿赖耶，以阿赖耶无烦恼故。然阿赖耶虽无现行烦恼，而烦恼种子亦伏其中。

不恒行六识和合而有之烦恼，亦唯不恒行。第六识任何烦恼皆依之现起，根本烦恼、随烦恼皆摄其中。前五识只有贪嗔痴三种根本烦恼，及惛沉散乱不正知等八种随烦恼，且皆由附和第六识而起。前五识限于色界初禅天，初禅之上即无之，第六识遍于三界。

烦恼、业、生三杂染，普通佛典谓之惑业苦三道。依法相精确名辞，曰烦恼杂染、业杂染、生杂染。烦恼自体似极污垢物，故正曰染，在现行心心所中杂夹有烦恼在内，亦成染污之物，即为杂染。故凡与烦恼附合而起之心心所，皆烦恼杂染，虽第八阿赖耶识亦是杂染。阿赖耶所以为杂染者，以第八识受前七熏染故，又是生杂染故。未到圣位之心，皆烦恼杂染，此三界有漏心义也。

业杂染者，业即思，即五遍行中（作意触受想思）之思，思即心之动作之谓，亦可简言动力。此动力即业，此思能自造作，亦可使余心心所造作。所以名之为业者，即动作的思也。此中能招生死之业，专指前六识上之思。身与语皆依思而起染，故业有三种：一、身业，二、语业，三、意业。业由何染，染于烦恼，杂烦恼故曰杂染业，亦曰有漏业。未得无分别智以前所造业，皆是杂染业，以末那识有无始恒行烦恼，虽前六识现行为善，而其善业以依第七识故，仍为杂染而非清净。以造杂染业故，第八识受熏亦因之而成杂染，如香臭之气散在空中，即不离空处，是故前七识皆不离第八识。受熏所留余气，即谓之种子，能为后来生起之用。

生杂染者，生有依正二义，依即器界，正即根身。大小乘经典讲明器界者甚多，兹不述。有情根身约分胎、卵、湿、化四生，有情之生，即指其一期生活之时期而言。何以生是杂染，以生依第八识为本，而第八识依前六识杂染业缘所招感故。生为业之感应，业即感，生即其应，业既为烦恼所杂染，故生亦杂染。异生身之五蕴非清净故，是曰生杂染。

阿赖耶是杂染，则有生皆杂染，以名色之发生，根尘之触受，皆依此故。人生有老死，器界有坏空，故杂染生者，包有情五蕴身及器界而言，即俗云人生世界。以恒行烦恼不能断故，三界心心所皆成烦恼杂染，由烦恼杂染故而业杂染，由业杂染故而生杂染，由生又起烦恼，循环无端，是曰无始流转。

三、有情本死中生

有情之无始流转者即四有：一、本有，即现在有。二、临死一刹那时，曰死有。三、死后应另得到一生，在未得后生之时则曰中有；或死时即得后生，即无中有。四、及至初生之一刹那，则曰生有。由此循环无端，吾人平时只知本有为一生，不知四有流转，循环不息。

四、器界成住坏空

器世界无始流转者，即成住坏空。此在佛典中有极详说明，不能详述。太空中无数世界之成住坏空，等于有情根身之生死死灭，一一世界之成住坏空，亦如浮沤之起灭。人或妄认世界由空而生，其实空亦由坏而致，了无先后可得，如落边际，即非因缘生法实相。

第三节　业与界趣

业之意义，前已大略讲过，即行为造作义。业之杂染者曰有漏业，有烦恼漏故。然行为不都属有漏，如菩萨行亦曰净业，即无漏业。但今别名净业为行，此处之业且专指染业。业之大分，从所依法上讲，即一、身业，以依身造成故；二、语业，以依言语造成故；三、意业，依意识造成故。身语意所起行为，就性质上别有三种：一、善业，现在将来自己他人皆有利故。二、不善业，于现在将来自己他人皆有害故。三、无记业，不能记其善恶故。如无意识动作等。业能得果，因业受罪者谓之罪业，因业得福者谓之福业，能得色无色界天果报常在定中者曰不动业。此业即指禅定修习，由此生于初禅天以上，寿命极长，曰不动业果。

界即指三界：一、欲界，二、色界，三、无色界。（一）欲界者，有色身及五尘欲者，谓之欲界。（二）色界者，色有变义碍义，合变碍二义，即可碍滞有变坏之物质是也。但尘欲已空，虽有色身，常在定中。故在初禅天尚有眼耳身识，二禅天以上即五识尽泯，只有定中意识，更无意识，更无尘欲。虽超欲界尚有色身，故云色界。此界有四重，即四禅天。虽同在色界天，而高下

第一章　因缘所生法（五乘共学）

悬异，故区为四重：一、离生喜乐地即初禅，有三重天。欲界天有忧愁、苦恼，及欢喜、快乐与不苦不乐等受，至初禅天，离欲界生色界，忧愁、苦痛已无，只有欢喜快乐；然此尚不在定中，亦有言语行为，是为初禅天。二、二禅天有三重天，名曰定生喜乐地。以常在定中，更加喜乐故。三、三禅有三重天，并喜亦泯之。凡有欢喜鼓舞之情，其乐尚浅，至极乐则并喜无之，故曰离喜妙乐地。四、四禅有九重天，喜与忧对，乐与苦对，至四禅并欢喜快乐皆无之，但是不可形容之平等受，是曰舍受，名曰舍念清净地。是四禅十八天名色界。（三）超出色界，是曰无色界，即纯精神界。平日以为离物质无法证明精神之存在，而在此界中则唯有精神也。二禅天以上，有后三识，无前五识，无色界中亦然，只有与定力相应之意识及七八识。以定力相应之业报浅深不同亦分四重：一、空无边处，此天定心了惟虚空，佛典中曾言，在人中初得此定者，旁人仍见其人，而本人则并自身不知所在，但是无边虚空，此时其身仍在，及至报尽命终，由其定力得业果，即空无边处天。二、识无边处，有空时仍有相对之空，此空仍是对境，至此定中即空亦泯，故曰识无边处。三、无所有处，此天并所观无边心识亦泯之。四、非想非非想处，识无边即想，无所有处即非想，此天既非有想亦非非想，故曰非想非非想。上明之无色界境，中国书上只老子始有此境，余书并无之。但印度外道每有此境，及至成阿汉果始能超出。

有情异生由死转生，趣向一类之中故曰趣，此有五种：一、天趣，二、人趣，三、畜趣，四、鬼趣，五、狱趣。恒言讲六道，五趣较六道只少阿修罗，以彼上通天趣下通鬼趣，故今不别立。一、三界二十八天，皆包于天趣之中，平常中国人之所谓天，只是欲界第二天，道家之天，亦不过如是。二、二十五有中，人趣亦有四种。三、畜趣名不甚正，应曰傍生，即指人以外动物而言，然亦有动物非人眼所能见者，亦包其中。四、鬼趣之鬼与常言之鬼不同，佛典认鬼亦为众生之一。众生者，五蕴众法所生义，只以业报不同，故人见则鬼不见，鬼见则人不见，其实鬼亦有色身。人碍鬼不碍，鬼碍人不碍，可同与人在一处而不互见。亦有一种鬼有小神通，亦可见人，不过与吾人所见不同，随吾人心象变现而为象。故依佛典，鬼亦众生之一趣。总之，鬼报与人不同，人见是水，鬼见是火，平常人以为人死为鬼，鬼生为人，实为误解。其实鬼是罪业报生，故人死不必为鬼，人生不必由鬼。但可云人死转生为鬼，或鬼死转生为人耳。五、佛典原语，并非地狱，只苦处之义。由罪业报生专受苦处，曰地狱趣。又依佛法说，人死未必为鬼，或有作鬼，或有生天，或作畜生，或为人，或为地狱，皆是转生，非死所成也。天死或转生为人，地狱死或转生为人，故鬼非人死所必成之物。佛典讲生死流转，而讲鬼者认鬼是本体，实是误解。鬼有化生，亦有胎生，并非鬼套人壳即成为人，鬼套牛壳即成为牛。依上义可判别如下：

一、罪业报生三恶趣（畜生、鬼、地狱）。

二、福业报生人及欲界天（有六天）。

三、不动业报生有色界无色界天。

佛法之三界、五趣循业流转义，大略如此。

第四节　异生与圣

异生，即通言凡夫。人与天之身形同，与佛菩萨亦相近，故天与人皆是善报。畜生鬼狱则奇形怪状，异形无数。可生此异形类中者曰异生，此统言凡夫之类皆可受"异"形"生"故。然异生有异生之同类性，此异生性依人我执而假立，然执有实我亦有浅深不同，非异生即曰圣者，佛典之所谓圣，破我执义。我执有二种：一、俱生我执，二、分别所起我执；俱生通末那及第六意识。入圣位之最低限度，要将分别所起我执完全断除，否则终是异生。

一、烦恼伏与断

既知上义，吾人如不欲堕三恶趣流转，非断去分别我执不可，否则必仍可流入恶趣之异生也。即无色界，如不能断去分别我执，亦仍可堕入恶趣。释迦在世，有外道修行甚深，其人死后，有人问其转生何处，佛言：

"生非非想处天。"又问:"更后如何?"曰:"堕畜生及地狱。"故学佛以断除我执为主,此不能断,则终不能永离恶趣也。

无漏生空慧现观众生,但是五蕴众法之和合相续,其中实无主宰之我。种种分别于我之执见,以戒定等能伏,如草木有根种伏于地中,以石压之,不过暂得不起,并非断尽。在圣智方便上,亦必经戒定伏之阶级。断者,一分一分去除,永不复生曰断。凡能伏烦恼而尚不能断者,即是凡夫;能断一分者,即是圣人。异生与圣者之区别如此。

二、断之差别

断有数种,以生空慧断我执所起烦恼尽,即阿罗汉,阿罗汉是三乘共果。法空慧者,有生空慧不必有法空慧,有法空慧必有生空慧,此能对治法执所起所知障。大乘圣者即断此障生此慧,断至究竟,即证佛果。

烦恼易知,所知障不易解,恒有错误。所知非知识之谓,是对能知而言,指诸法相性皆所可了知之境。以吾人有无始来无明迷惑,障吾能知使不了于所知,去此障尽,即证佛果,即证诸法真实相性。生空慧是偏慧,法空慧是圆慧,此有偏圆差别,尚有浅深差别,即小乘有四果,大乘有十地及佛地,皆由能断之慧有偏圆浅深之所致。

第五节　成圣之道

一、有情种姓

有情想知觉之众生，谓之有情众生。众生以种姓分，大别有五，即在有情众生藏识中，有五类不同之种子：一、阿赖耶识中无出世智种者，曰无出世种姓。此类众生只能在世间修福果，不能达出世三乘法。二、闻佛说法而能由四谛教法修道者，即声闻种姓。三、由闻佛说十二因缘，或不必闻佛说法而能得道果者，曰缘觉种姓。四、不必闻佛说法，或闻佛说法而能发成佛之心者，曰菩萨种姓。五、合后三类而不定者，为不定种姓。或发声闻心，或发缘觉心，或发菩萨心，其种姓不定故。由种子在阿赖耶识中有此差别故，或不能发生出世心，或可发生出世心，或闻佛法而得圣心，或只能发信心修善业而得福果，不能了佛法实相而达出世涅槃。上说种姓类别。

诸种姓之成就有二：一、无始来有此种姓潜藏识中；二、由闻佛教法而熏习成种子。既熏习成，则展转增上皆可成佛。修证出世三乘圣果，根本所依，即依有情之种姓不同故。

二、佛教增上

有此种姓,仍当依佛教法为增上缘始得发生。犹地中有草木种子,须有雨露日光为增上缘,依佛教法,亦复如是。无出世种姓者则修福报,有出世三乘种姓者,见佛闻法即得圣智,不定者依其先闻何乘之法而得增长,是故说法曰法雨等。

三、人天阶梯

有圣种姓者,即声闻等三乘,能增长而得圣果。然在其增长时,亦以人天业果为阶梯。能修五戒行十善,则可得作人之福报,亦可为证出世圣果之阶梯。在持戒修禅定者,即可得天之福报,为出世无漏种发生之增上缘,亦是阶梯。故人天所修诸戒定行,皆可为出世圣位阶梯,而有圣种姓者,则可以人天法为其阶梯也。

四、出世三乘

真正成圣之道,即依出世三乘法,于无始流转烦恼业生循环圈中,能得解脱,即曰出世。盖断去烦恼,则有漏业断,业灭故生灭,是曰出世。出世三乘犹三种车乘,三种车乘可达解脱生死之地,是谓出世三乘法。皆依佛法,以种姓不同得差别理解,各修其行,各得出世果,菩萨最高之果即是佛。此出世三乘教理行果即成圣之道,此道果为阿罗汉、辟支佛之三种。

第一章　因缘所生法（五乘共学）

前所说皆因缘所生法，依种子因遇增上缘而成。道与圣果及业与界趣，俱是因缘所生法。二、三节说异生法，第四节讲凡圣法，第五节圣法。又第二无始流转，及第三业与界趣，皆世间法。第四异生与圣，讲由世间至出世间之法。第五专论出世圣道。凡此皆因缘所生法。虽出世之道，亦须有种为因，有佛之教法为缘。故其所成圣果，仍是因缘所生法也。

第六节　再论业与界趣之流转

上已总明世出世间皆因缘所生法，而此中须先明而又最难明者，即业与界趣之流转。由善不善有漏业，得三界五趣生死轮回，欲解脱此生死轮回，须先明轮回之义。轮回即流转，凡理论皆先有事实，然后立言，否则论据不实，何从征信。在吾人所见到者，只有人及畜生二种。人与畜生皆依父母而生，并未见畜生转人，人转畜生之事。且所见仅二趣，余三趣均不见，理解虽可承认，而事实不易可见，故今特为说明如下：

佛法谓之圣教，即已成圣智之佛及阿罗汉等所施之教法。其圣智圆明洞达，其心知亦与人不同，然亦人尽可修到，故仍平等，与别宗教所谓神与人异者不同。其所以能知随业流转五趣之事者，以在圣智有六通。第一即天眼通，此通为佛法中所有，他宗亦可有之，即现今催眠术中有透视术，亦即天眼通之一，或能远视，又或能障外视。以吾人业报不同，即有报障，故只能见人畜二趣。有天眼通，即可见到障外天等三趣，尚有能见未来者。在业已起而报未成之时，果虽未成，而在业因上亦能见之，此种功用，亦在天眼通中。尚有天耳通、他心通、身境通，及宿命通，能通晓自己或他人之宿命。此天眼、宿命等通，不必成圣始有，有禅定者心中亦常有之，然不彻底。如彼预言家，亦或从定心上偶然觉到，然讲出时已加以散心之分别推度，故不尽确实，此在催眠术亦可试验而得之。及达出世至圣，更加一漏尽通。唯佛智圆明通达智光普照，尽虚空界皆为大圆明镜，镜中所照无不了然，三界五趣生死轮回，乃皆明了。此在二乘有六通者，亦可见到此事实，然此事实之原理，尚不能说出。如常人可于事实上见到人生世界，而人生世界何以如此之原理，则难了知。故曰宇宙是谜，人生是谜。

大乘佛智，不但诸趣流转之事实可以见到，其原理亦能彻底解释。即前所讲心之分析中，分心识为恒行不恒行，皆有其相应心所。在恒行中有阿赖耶识，是无始流行转变相续不断者。不恒行心识有种种造作，皆熏在阿赖耶识中，藏其种子。一、业种，二、法种。业种，即法种中之有特别势力者。如国家百姓中之有特出者，能统率众多人而作其事业，业种亦复如是。彼能将所属法种，各起现行而合成不同业报，然其势不可久，故势用尽时即为破坏死亡，而别种业缘代之又生。生而又死，

第一章　因缘所生法（五乘共学）

循环流转，又受生为别一业报，而入其规范。此与朝代递嬗相同，前朝势衰则国家大乱，更有有力者出，别造新朝，民土如故，而国命维新。此中业种，亦如帝王之处草莽，能转此国人成其率属，由此得到一期一期之生命。此无始相续生死之法，在大乘法相唯识中谓之异熟因果，有详细说明。此皆先有事实，然后加以解释者。

吾人当未见此事实前，须先信有能知此事实之禅定神通，此禅定神通细者虽不可见，而粗者尚不难见。如催眠术等，即以一种方法使人定其意识而致，亦可曰自己催眠工夫纯熟，即得禅定。在未得之先固有疑情，及至既得，则事实可证。如伍廷芳稍有修养，预计在梦中作何事或见何人，后来亦能作到。修禅定者每能见乎常人所不能见之物，如常人无光不能见，而禅定中或无光亦可见物，此亦天眼通之流。在禅定智慧者，即可事实上证得，然未必明其原理，欲明原理，须通佛智。

三界五趣之业果流转，最不易知，然亦最关要。如不信此，则出世间之解脱生死流转法，亦不能安立，故特提出说明。须先知有此生死事实，再明生死之理，然后可以解脱，而成就三乘之圣道。故明因缘所生法，为世出世五乘之共学。

第二章

三法印（出世三乘共学）

印者，印定之义。为此三法所印者，即佛所说之出世三乘法；不相符者，即非佛所说出世三乘法。此三乘共学之三法印，一、诸行无常；二、诸法无我；三、涅槃寂静。今即分三节明之。

第一节　诸行无常

行者，造作变坏义。此中有三：一、生；二、异；三、灭。此生、异、灭以造作变坏为义，故曰行。常者，不变义，如虚空即恒常不变。然物或有暂时不坏，而以后要变坏者，亦非常；此永不变灭者，即曰常。前来所讲因缘所生法莫不有生，有生即有变，有变即有灭。此中无常者，明有变灭，然虽曰无常，而实非断灭，以前灭后生，得相续故。然如烦恼等亦可言断灭，以与圣智相敌故，圣智现行，烦恼即断故。如是诸有为法皆无常，故曰诸行无常。即到佛果地位与四智相应之清净身土，亦是刹那生灭无常。然以平衡相续，故曰相续常，所起作用亦复不断，故亦曰不断常。明得此无常义，即可明无常即常义。一、以此无常之理常故；二、佛果自受用身土，平均相续，及应化之用无尽不断故。众生生死，谓之分段生死；菩萨位上之生死，谓之变易生死。未成佛果有此两种生死，以未能圆满清净平均相续，故有一期一期之生死相可得。此诸行无常之法印通三乘，然无常即常之理，则须至大乘始明。

第二节　诸法无我

此中我者，是有自主体及统宰用义，有自主体及统宰用，即曰我。有情众生，只有五蕴诸法：五根、五尘谓之色法，即物质，在人即为人身，此色法曰色蕴。又有苦乐之感觉，此谓之受，受中亦有种种不同，是曰受蕴。所感觉上取分齐者，即想蕴。心知作用之流行造作者，则曰行蕴。为一系一系统率之知识，如心理学上所云之统觉，以统率许多受想行故，即统率依眼耳鼻舌身意各根所起之各各心聚者，是识蕴。总为五蕴诸法。五蕴诸法中，色蕴即物质，受、想、行、识蕴即精神。就人观之，都无自主体及统宰用，只是五蕴所集之团体，是故只有五蕴，并无实我，此即无我义。人以外之动物等，亦复如是。故有情众生只有五蕴，并无有我，此通三乘。尚有法无我，是大乘义，然亦可由此通达。盖以众缘生故，有为法即空无自性，而无为法亦即遍于有为法之空性故，故曰法无我。由此一切法皆无自性，但以异生妄执而认为有我耳。

第三节　涅槃寂静

涅槃是梵言，即四谛中灭谛。有广狭二义：狭义即择灭，广义即圆寂。择灭者，以圣智择出诸烦恼等而灭之也。圣智之来源，一依众生心中本有之智种，二依佛之教法，由此起圣智慧之决择，而断灭烦恼业生，故曰择灭。择灭则解脱流转而常住寂静，故曰涅槃寂静。广义涅槃分四：一、得阿罗汉者，由以前烦恼业而受之身亦灭，更不随流转者，为无余涅槃。二、虽已择灭烦恼更不起业，而尚余前业所招之身者，曰有余涅槃。此但择灭由我执所起烦恼障而除去生死者，即有余涅槃无余涅槃义也。能择灭此烦恼业生，得真常寂静无所变化，谓不生不死不起不灭，此涅槃义是三乘通义。至大乘涅槃，即圆满寂静，如有未圆满因有所求，无所求则是究竟圆满。是大乘涅槃义，亦有二种：一、自性圆寂，即诸法之毕竟空性，以因缘所生法本来毕竟空故。此空性本来圆遍常寂故，谓之自性涅槃。圣凡生佛一切平等，本来如是，无得无失。二、佛果无住涅槃，福智圆满更无所求，大悲般若常相辅翼，以般若故不住世间，以大悲故亦不住出世间。此无大涅槃，唯佛有之。二乘圆寂，于一切法实相未能明了知觉，以所知障未断故，尚有所执，至佛以无所执故，与诸法实相时时相应，故曰无住涅槃。佛所以如是者，已能择灭所知障故。向来无明迷惑之所知障，如不能以大悲般若扫荡无余，虽除分段生死，如彼菩萨二乘，然于大悲般若佛果未圆满故，仍有变易生死。分段生死是循环，变易生死是进化；分段生死有定限，变易生死无定限。但既有进化，即未臻圆满。至正智真如，如如不二，即大乘大悲般若无住涅槃。并前二种涅槃，即四种圆寂义，此皆常寂安静，故云涅槃寂静。唯广义圆寂，即是大乘之胜义。

第三章
一实相印（大乘不共学）

　　一实相印者，出龙树菩萨《大智度论》。以为二乘法，是诸行无常等三法印之所印定，大乘法是唯一实相印之所印定。实相者，《法华》谓之诸法实相。诸法，谓五蕴十八界等一切法。就诸法本来之真实相如何，即了知其如何，说明其如何，无稍违背错误之处，此即平等大觉之所知境。除佛之外，其余有情以其心量有限，就其所知境则觉其切要，其所不知则不注意，不能圆满。依佛乘义，则完全依智慧而修行，初发心菩萨，虽未能证知诸法实相，而能依佛之智为智故，亦能达诸法实相。其实三法印即一实相印，以皆明诸法因缘生故，无自性故。依一实相之三方面分别解释，即三法印，究其根源，即贯通为一实相印。兹分四节言之。

第三章　一实相印（大乘不共学）

第一节　诸法毕竟空

在一实相印中，首明诸法毕竟空义。因缘所生法即有为法，虽有假象幻用，但求其实体，考究结果，都无可得，故假象幻用诸法，皆无实性。今科学所依之唯物论，考究宇宙原质是何物，及又有发明，则前所计随破。彼今所讲最后结构力之电子，已无实质之可执，以后当续有发明，终必无得。依此欲求物质实在，而亦终无究竟实体可得，故色法毕竟空。色法既然，心法亦复如是，故有为法毕竟空。有为法，犹有众缘相续之假相幻用，至无为法并假相幻用而无之，但有其名，由此可见无为法更是毕竟空。有为以因缘生，故知其唯假相幻用而毕竟空，无为但是智观上假设名义，故亦毕竟空。此在《掌珍论》等详之。将所有一切诸法皆告以毕竟空，毕竟空故，一切分别计执皆灭，一切心念皆息。由了得诸法毕竟空，则一切执着皆无安足处，由是无分别智现前，如如相应诸法实相。

第二节　五法三自性

此中五法者，即五种法：一、名；二、相；三、分别；四、正智；五、真如。名者，即言说所依之名字。由名生句，由句生说。通言法界中一法有一法之名，法无量则名亦无量。然法之范围甚宽，名亦法之一种，无数名字言说，即此五法第一法。相者，即"心之分析"内所讲想心所所取境界分齐，此境界之分齐，名之曰相。恒言此有意义，此无意义，此意义即是相。由前五识感觉之相，意识依之立种种名，又用彼名字言说，以显此种种之相。凡色法心法之现象皆曰相，皆可依以立名，及可为名所诠表，故名遍一切法。是故名相相联，因相立名，因名表相。

依中国旧说，名实对立。名为实之宾，实为名之主。依佛法言，名相对立，相非实有，虽一般人认为实有，但是假相，并非实有。名相是所知识者，显现在一人知识中者即相，诠贯在多人彼此相识中者即名，以依各人心识上相似之相以立名故。

名相皆所了知之法，其能分别了知之心识即分别。分别正指能了知之心识，亦是相之一分，以其亦被了知故。是以能了知心识亦可为被了知之法，而被了知之法，则不限于心识。被了知诸法与能了知心识之关系者，现行之心识，是能知识之了知分别，此外一切皆被知识之法。以被知识故，显有能了知之法。如吾人起一念分别者即心念，被分别者亦不离此心念，他心通所知之他心亦然。故无论何法，处在被了知地位者皆名相，而能了知者即分别。名相是客观，分别是主观，但此主观亦是

第三章　一实相印（大乘不共学）

可被了知者，故亦可是相。故以能表与所表相对，即名与相；所了知与能了知相对，即名相与分别。

分别是杂染了知，以须分别而了知故。至清净了知，即正智。正者，正当恰好之意，如俗言恰到好处。此明确之了知，即是正智，即能了知之心心所于所知诸法相性，正当明确了知故。清净正确了知之所知，即真如。于所知真相，如如不异，即名真如。此与杂染分别所知之名相不同，以彼分别不与真相相当，是依能知识之分别所变起之假相，故非真相。真如者，即能了知之主观正知，是极平正相当之了知，不用主观之力稍有变异，全依客观原来如此之真相，而了其如此。故如者，即如此之义，真相如是，故曰真如。故正智曰无分别智。真如者，法界相性真实如此之本来面目，恒常如此，不变不异。是即不生不灭，不增不减，不垢不净，即无为法。此五法摄一切法，是故五法又曰五法藏。

三自性者：一、依他起自性；二、遍计所执自性；三、圆成实自性。诸法无自性者，即诸法毕竟空，故三自性即三无性。三性本不可立，然为悟他故，设此三自性以说明之。一、依他起性者，即生无自性。以众缘所生法，并无所生法外之固定能生法，亦无能生法外之固定所生法，无能生所生故，则生不成立而无生，故生无性。生无性故，但以众缘之所集显，有此一法假名曰生，故是依他起性。依众缘起，依诸识现，曰依他起，然非众缘能生，即众缘是此法，如人依烦恼业集五蕴诸法所

· 33 ·

成，即此众缘是人，离此别无有人，故明依他起性即明生无自性。二、遍计执性者，即相无自性。不了生无自性之依他起性故，乃执有遍计所执之实我实法。由此执故，认有二相：一、内政实我相；二、外执实物相。以不了皆众缘诸识之假现故，执为实有，实唯妄执。故此妄执中所妄执之实我物自性，实无所有，故明遍计所执自性，即明相无自性。三、圆成实性者，即胜义无自性。前说万法皆众缘诸识现，由此明得诸法毕竟空，则妄执即除。妄执既除，则得清净正知，如如相应诸法真相，此即圆成实性。故圆成实性，亦即五法中之真如，是圆满成就真实相，并非新有所造，原即诸法本来如是，以胜义本空无自性故。

依上五法三性，相互看来，名相分别正智皆依他起性，以皆因缘生法故，然非遍计所执性。遍计所执性者，但是迷惑于此所起之谬解故，此一解也。又可曰正智亦圆成实性，以无漏清净故。是故圆成实性，或专就无为法讲，或统就无漏法讲，即离一切言说分别，亦即诸法毕竟空义。然为于此法未能悟者，乃开一种方便，从不可说中起言说方便觉悟未悟者，因立此五法三自性，施设以明法相。

第三节　八识二无我

八识二无我者，亦可曰诸识二无我。八识心王，各有心所，谓之染分八识心心所聚，即五法中之分别。此中又有能所知两面，其自身谓之自证分，其能知即见分，其所知即相分。相分即五法中之名、相。八识及心心所，各有三分。如是八识心心所之三分，即八识心心所中之诸法，转成清净心识，即名四智相应心品：前五识谓之成所作智相应心品，第六识谓之妙观察智相应心品，第七识谓之平等性智相应心品，第八识谓之大圆镜智相应心品。此心心所法，皆有见分、相分、自证分。故在平常根身器界，即染分相应心心所之相分，至佛果之身土，即清净四智相应心心所之相分。故诸识之三分，统率一切言说，包括一切诸法。二无我者，即人无我、法无我，诸识三分诸法，皆无我故，曰诸法二无我。

第四节　法界无障碍

法界无障碍者，法界即真如别名，即无分别智相应之真如。又如世言宇宙，非但指空间时间，实包一切物而言。此法界者亦复如是，乃总括此诸法而言也。诸法中无论任何一法，皆诸法之总相，以皆能摄一切法故。此总相即为法界，故曰随举一法皆为法界。如铅笔可统一切法，以依众缘成故。众缘之众缘，展转无尽故，故一摄一切，一入一切，此法界义也。又界者因义，法界者，即诸法之因。法法虽互入，然不失其自相。此不失自相者，以一一法有不同种子为之因，此因种各各不相杂乱，故现行亦各各差别。然此因种虽各各差别，而又交互相遍，故一一因种，一遍一切，以阿赖耶识中之能力，无方所边际故，明此诸法各别种因，谓之法界。依上三义，谓之法界，以法界之一一法，互摄互入，而又不相杂乱，故曰法界无障碍也。

然即诸法众缘生无自性故，是法界无障碍义。复次，以诸法唯心现故，即从含藏识中一切种子而变现，成为别别不相杂乱，又互摄互入而无障碍。此一实相印，以遍一切法皆是如此故，与前三法印不同：谓一、遍一切法即毕竟空；二、遍一切法即五法三自性；三、遍一切法即诸识二无我；四、遍一切法即法界无障碍故。

第四章

约 略 指 广

　　然欲将上述学理研究明白，非全藏经论阅过不可。然总三藏，亦不过明因缘以生法义也。三法印广义通大小乘法，狭义是明小乘法。须看《四阿含》等经及《发智》、《六足》、《大毗婆沙论》与《俱舍》、《成实》诸论，总在一千卷以上。此中扼要两论，即《俱舍论》与《成实论》也。一实相印中明诸法毕竟空者，亦有一千多卷，即《般若经》、《大智度论》、《中论》、《十二门论》、《十住毗婆沙论》、《掌珍论》等。扼要者，在《心经》、《中论》。明五法三自性、八识二无我者，则法相唯识宗之六经十一论与因明诸论，并古德注解，大致亦上千卷。扼要者，在《楞伽》及《成唯识论》。明法界无障碍义者，则如宗法华涅槃之天台，宗华严之贤首，以及真言秘密宗、净土宗、禅宗等皆是。今不过举其梗概而已。

中国佛学

第一章

佛 学 大 纲

后页图表，可以作为中国佛学的大纲。现在先将这个图表作一个简括的认识：上面"大乘以佛为本"，即所谓佛法，也就是佛法界。最下面的水平线上为"一切有情界"，也就是众生法或众生法界。此众生界有二线通到当中的"佛性"；佛性一线通到佛。这佛性可以看成是众生与佛相通的心法，即平常所谓"心佛众生"。由此，我们可以看出佛、心、众生的不同，同时又可以看出众生、心、佛的相通。

佛性以下和众生界以上，是佛所说的教法。这些教法，一方面是佛所证的法，一方面是就众生的机宜和接受的可能性所施的教法。图中的佛性，即是众生可能接受佛陀教化的可能性。这个可能性，非常紧要。如果众生没有可能性，即不能接受佛陀的教化。所以佛陀的教化，虽以一切有情为对象，但也要观察众生的机宜和接受的可能性，才能说出适应众生所急切需要的教法来。
图中的教法，即是佛陀观察众生的机宜而施设的。

　　以上将图表作了一个概略的说明，下面再详细地分
开来讲。

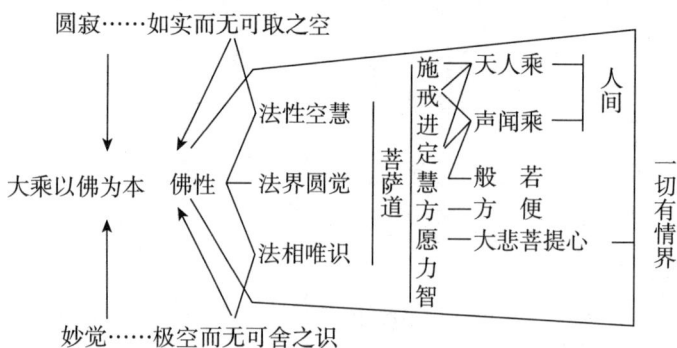

圆寂……如实而无可取之空
大乘以佛为本　佛性　法性空慧　法界圆觉　法相唯识
菩萨道　施戒进定慧方愿力智　天人乘　声闻乘　般若　方便　大悲菩提心　人间　一切有情界
妙觉……极空而无可舍之识

　　大乘以佛为本：大乘法即佛自证法，亦即依佛本愿
力，以教化众生的法。所以只要说到大乘法，就应本佛
能证所证之心境为本质。《法华经》上说："三世诸佛，
皆以一大事因缘故出现于世，所谓为令一切众生开示，
悟入佛之知见故。"又说："诸法实相，唯佛与佛乃能究
竟。"所谓佛之知见和诸法实相，就是佛的自证法界，
亦即大乘法的本质。

　　此处所讲的佛，即佛法界或佛陀的自证法界，也可
说是三种身土——法性身、法性土，受用身、受用土，
应化身、应化土。二身、十身，减少增多都可以。如果
再分类来讲，可以分为无上涅槃与无上菩提。但综合起
来说，只消一个佛字。

第一章　佛学大纲

　　涅槃是梵语，意译为"圆寂"。在中国，一般人把"圆寂"二字乱用于人的死亡，这是一个绝大的错误。圆寂的本义，是功德圆满、过患寂灭的意思。此已不但是三乘的涅槃寂灭，而是无上圆满的大寂灭。菩提译为"觉"，无上菩提即无上"妙觉"。此总无上菩提无上涅槃的转依果，即名为佛。佛，是从二转依的总相来讲。若分开来说，即如上面所说的菩提与涅槃。关于这方面讲得较详细的，如《佛地经》上的五法：第一清净法界，即此中所讲的无上涅槃；无上菩提，即是四智——大圆镜智、平等性智、妙观察智、成所作智。就是说，妙觉或无上菩提，是此四智的总体；此即所谓佛，也就是大乘法的根本。这在密宗的教义里，讲五方佛或五智法身，亦即此五法，不过将清净法界的名字改为法界体性智而已。此五法也可以配三身来讲：清净法界为四智之真实性，即法性身；所成四智真实功德，就是自受用身；依四智中之平等性智与妙观察智，成他受用身；合自受用与他受用曰报身；依妙观察智和成所作智成应化身。五法与三身相摄如此，但总括而言之曰佛。

　　依大乘根本佛法来教化众生时，就要看所化的众生是否有与佛法相通的共同性，有此共同性，又是否可以领受佛法教化，乃至有否成罗汉与成佛的可能。这种共同性，即是可以教化成佛之可能性，亦即佛性。众生与佛虽有相通的共同性，但在相通的共同性之上，仍各有不同的相用和德能。所以众生与佛，又是截然不同的。

就佛与众生的共同性说，即显示：佛原也是由众生而成的，他不过是已成佛的众生；犹未成佛的众生，未来也可以成。有此共同性，不但可以接受佛法，而且还有一种成佛的可能性，若只有共同性而无可能性，众生仍不能转变成佛。譬如说茶壶中有空，房屋中也有空，空与空是共同性，但因茶壶与房屋德相和业用各各不同，所以虽有共同的空性，而它那德相和业用仍不能转变。然而众生不同，它不但有与佛的共同性，且有转变成佛的可能性。

关于共同性可作几点说明：第一，如说众生是因缘生法，佛亦是因缘生法。在这同一因缘生法的意义上，佛与众生是共同的。第二，佛与众生既同是因缘生法，因缘生法是空无自性的，这空无自性的意义，也是佛与众生的共同性。再就我们的言说分别上讲，佛与众生，都是假名安立，此假名安立，亦是佛与众生的共同性。由于这共同性的缘故，佛将自所证法，说给众生听，也可以说是众生法，故众生可以领受。

但佛与众生究竟有否不同的地方呢？有。如佛是清净的，众生是杂染的；佛是明觉的，众生是昏迷的；佛是安乐的，众生是苦恼的；佛是自在无碍的，众生是缠缚障碍的。佛与众生有此种种的不同，但亦有无异的共同性。如壶中的空，不异房中的空，虽不异，但仍有不同。所以众生转变成佛的可能性，并非离共同性之外而有的，它在变化无穷的活动中，犹如不动的佛性恒时存在。

　　从图中的佛性为中心，它两边有两条线通空与识，如上面以佛为中心，旁边有圆寂和妙觉。原来空、识是不二的，不过为说明起见，故分别说之。

　　通无上涅槃是"如实而无可取"之空，这是说明佛与众生的共同性。此性即诸法的空性，通于有情无情。所以如实而无可取之空性，是诸法圆满究竟的如实性，它遍一切时、一切处、一切品，是无少可取的。因为可取之法，都是由于见闻觉知自识分别，或思想言语等上对待假立的，不是恒常不变普遍圆满的真实性。由言识所起的可取之法，还可以用言识来否定它。所以都无可取，只可说是空。

　　另一面是"极空而无可舍之识"。一张因缘生法的桌子，可以看得见，拿得着；而因缘生法的心识，却拿不着，看不见。因其众缘所生，刹那即灭，又拿不着，看不见，所以说它是极空。虽然极空，但却舍不掉。如唯物论者说，宇宙现象的本源是物质的原子，未生动物以前，仅有物质而无心识。但认识未有动物以前的原子，还不是识？所以唯物论立在认识上面，还不是舍不了识。又如说一切法皆空，"空"还不是在"空的这个念头"上起说？法国哲学家笛卡儿说，我们要以怀疑的态度观察宇宙万有。但他那个"疑"，总是离不了。以"疑"否定宇宙万有，而"疑"的本身，竟成了一个最后的实在。实在的"疑"，当然也可疑，但疑仍在，此疑就是思，也即心识。所以无论你如何否定一切物，而能否定的心识作用，终是不能否定的。此心识的明了觉知性，极其活动灵变，刹那生灭而相续迁流。所以极空而无可舍之识，有其转变可能性，就是说众生都有很大的转变可能性，由众生可以转变成佛。

众生既有成佛的可能性，即有"佛性"。此佛性可分为三种：一、众生与佛的共同性，即理佛性。二、隐密佛性，是就因缘生法上建立的。因缘生法，都是分别假立的名相，同时又有灵活转变的心识。意思说，众生虽然杂染，而清净的佛性，却隐密地藏在其中。此隐密的佛性，或名如来藏。三、事佛性，即在事用上有种种的功能，可能令众生转化而成佛。这是着重在可能性上讲，可能性即如《唯识论》讲的第八阿赖耶识中含藏有解脱生死趋向涅槃的佛性种子，这种子的功能，就是事佛性。此佛性是心佛众生三法中的心法。

平常讲"一切有情界"，包括三界五趣的依正二报，若广言之，亦可包括三乘圣者而为九法界。如二乘人虽证得无学果位，但在未入无余涅槃前，他那先业所感的报体，仍属人天。至于菩萨，他的功德虽已超过二乘，然报体仍在三界中。所以菩萨最后成佛，还是在色究竟天。故言一切有情界，可包括三乘，而成九法界。九法界中之佛性，菩萨已部分证得，部分开显，而二乘亦偏证少分。人天虽未证得，但对佛性善法比较接近。因此，

第一章　佛学大纲

整个佛法有声闻、缘觉、人、天与菩萨之五乘教法，化导众生。不过这化导众生所施设的教法，从大乘法的教理上讲，可以分为三宗，这三宗是从教理行果的理上分立：一、为"法界圆觉"宗。这直从佛法界及约众生可能成佛之佛性而言。二、为"法性空慧"宗。这是约如实而无可取之空而言。三、依种子功能的开发与未开发而立的"法相唯识"宗。这是约极空而无可舍之识而言。佛法通过佛性，适应机宜，而成此三宗之教理。有佛性之众生，一受教理之熏陶，就可发生信解行证的心行，而成为"菩萨道"。所以在三宗下受化者，即为菩萨。菩萨修习所应做之种种行，即为菩萨道。此菩萨道共有十种波罗密，就是："慧"、"方"、"愿"、"力"、"智"、"施"、"戒"、"忍"、"进"、"定"。此十波罗密中，有通二乘及人天乘的，二乘依菩萨道之戒、定、慧，称之为"声闻道"。此声闻道，只是菩萨道中的戒、定、慧的一分。声闻道中之慧，可通法性空慧中的慧，由此慧而达我空之道理，但也只是部分的。"人天乘"，依于菩萨道中的施、戒、定三法，由施可以济贫拔苦，由戒可以止恶行善，由定可以静心开慧。然此三种，又可分为人乘重施戒，天乘重戒定。但无论如何，都只是菩萨道中之一部分。

　　图表中的一切有情界上有"人间"，人在一切有情界中，特别灵动与聪明。他种种的活动力，都超过其他一切有情，而显出特别的殊胜，因此佛陀现身于人

间说法。在一切有情界中，修得完人的地位，依人乘
法，先做一个完全的人，再利用人的上进心，而修天
乘法生天。世间一切宗教或哲学，都有完成人格而生
天的主张。声闻乘法的产生，是因佛悲悯一班出家修
苦行求解脱的人，或众生中迫于生死流转等苦的而说。
先由在家的人，再出家求证四沙门果，此沙门果为出
家之果。要证此果，故有比丘戒的受持，而比丘戒要
人类方可以受。因此，声闻法虽超过人天乘，但也要
从人乘做起。

　　菩萨于十波罗密中最关要的是慧，如他要通达大乘
法，从初发心乃至达到成佛，全靠他那智慧的力量。其
次是方便，方便是菩萨利他的大行，如行四无量心
（慈、悲、喜、舍）与四摄（布施、爱语、利行、同事）
法是。菩萨若无此等方便行，即不成其为菩萨。还有一
种是愿，愿是发愿普度众生和成无上佛道，总合而为大
悲菩提心。故愿字下有一线相通，表示上求下化的意思。
菩萨度生，以一切众生为对相，而众生又都可能受菩萨
之化导，而发大悲菩提心，成为菩萨。所以大乘法说，
菩萨是普遍一切众生界的。以上讲明菩萨于十波罗密中，
特别注重智慧，方便，与愿心三种。

　　菩萨，如平常说"般若为母，方便为父"，那末此
愿心可以说是业识种子。如菩萨胎要依三缘和合而有，
由有此胎，方可以继续长成菩萨身。菩萨要有大悲菩提
心为业识种，依方便及慧为父母而成胎，否则即不成其

为菩萨。所以菩萨是以佛为本，以众生为根的。又般若之母性，还可以生出二乘果。必须和合方便之父性，才可以完成大乘行而得佛果。故就和合成菩萨胎言，第一为大悲菩提心，次为方便，再次为智慧。

第二章

中国佛学特质在禅

第一节　略叙因缘

　　中国佛学，并非与发源之印度及弘扬于世界各国的截然孤立，不过从中国佛教历史研究，就有中国佛学的特殊面目与系统，把中国佛学的特殊面目与系统讲出来，故成为中国佛学。今先讲中国佛学的特质在禅。什么叫特质？无论什么东西，都由许多因缘和合乃成，而所成的东西，一个有一个的特质，一类有一类的特质，因为他各有各别不同的特殊质素。现在讲到中国佛学，当然有同于一般佛法的；然所以有中国佛学可讲，即在中国佛学史上有其特殊质素，乃和合一切佛法功用，而成为有特殊面目与系统的中国佛学。其特殊质素为何？则

第二章　中国佛学特质在禅

"禅"是也。

禅乃中国通用之名，是"禅那"的简称。或云定，或云禅定，印度多叫做瑜伽。这里所说的禅，不一定指禅宗，禅宗也当然在内。今讲之禅，是指戒定慧之"定"的，所以比禅宗之禅的意义来得宽广。"禅那"即静虑之意，就是在静定中观察思虑。所以"禅那"虽可名定，而定中有观有慧，方为"禅那"之特义，故"禅那"亦云禅观。

现在讲中国佛学之特质在禅。佛学二字当然包括各种佛法，而各种佛法的义类甚宽，今不过就中国佛学的特质说，故云在禅。中国佛学所以重禅，当然也有其因缘，今于中国佛学的特质所以在禅的因缘，且分两条来说：

一、梵僧的化风　梵僧乃佛教初来中国时传教者之通称。其实不一定皆是印度的，南洋与西域各地之来此者亦混称梵僧。梵僧教化的风度，也可分做几点说：（一）端肃之仪态。在当时到内地的梵僧，大概道德高深，学问渊博，他们行住坐卧四威仪，态度端严，使人肃然起敬。（二）渊默之风度。他们因深有修养，其幽深寂默的风度，使人见之，觉得深不可测。（三）神妙之显扬。他们智慧既高，种种方技、神咒、术数也极精妙，且其修禅持咒所成之神通妙用，也常有流露。这种以神异显扬的力量，功尤显著。（四）秘奥之探索。佛法初来之摩腾、竺法兰，及汉、魏、晋初之安世高、支娄迦谶、佛图澄等，所至有神德感通，这在《高僧传》中处处都有记载可知。不但初来之梵僧如此，即其后以译经传学著名之鸠摩罗什、菩提流支等，亦仍著神咒灵感之功。如罗什临终前，口吐三番神咒，以延寿命，菩提流支以神咒涌井泉等。故这些梵僧皆能使人崇敬，起"仰之弥高，钻之弥坚"的观感。使一般趋向修学的人，皆视佛法为深奥神秘，肯死心刻苦探索。当这些梵僧来华时，中国文化已经发达很高，他们从端严寂默之中，显其无穷之神功妙智，使瞻仰者起一种高深莫测，而极欲探索之心。这在达摩来华后，亦即以此成为禅宗的风化。学人皆从禅中去参究，探索其秘奥，遂即成为中国佛学之特质在禅。但是仅就这一方面，还不能成为中国佛学之特质在禅，还可能成为一种神秘信仰之佛教，故还须从另方面去说。

二、华士之时尚　华士即中华读书之士，即士居子、士大夫。当时文化已高，一般士夫之思想，皆尚简括综合的玄理要旨。在言谈上也推尚隽朴的语句，或诗歌之类，要言不繁，能实在表示出精义。至于一般士君子品行，也唯清高静逸是崇，如竹林七贤等，皆从事于高隐静修。在资产生活上，重于自食其力之俭朴淡泊。在当时可作士人代表的，如诸葛亮、陶渊明二人，最为全国人所敬仰。诸葛亮与渊明皆躬耕田园，品格高逸而生活恬俭，所成诗文皆简要精妙。他们读书都只观大略，不求甚解，不尚言论辩析。有人说渊明得主，也可成为诸

第二章　中国佛学特质在禅

葛；诸葛不遇刘备，亦可成为渊明。此为中国一般士夫之崇尚。所以佛法由梵僧传入，在通俗的农、工、商方面，即成为报应灵感之信仰。在士人方面，以士人思想之玄要，言语之隽朴，品行之恬逸，生活之力俭，遂形成如《四十二章经》、《八大人觉经》等简要的佛学，适合当时文化，机教相扣。同时乐于山洞崖窟，过其简单生活，禅静修养，遇有访求参问者，为示简要而切于实际之要旨。如此适于士人习俗之风尚，遂养成中国佛学在禅之特质。

从梵僧来化，及能领受佛学之中国士夫思想等的因缘和合，而成为当时习尚禅定的佛学，并奠定了二千年来中国佛学的基础。在当时传习上，也曾有过重于律仪，如法明的弟子法度，曾以小乘律行化，虽有少数人学，但终不能通行。复传习过种种分析辩论，如毗昙、成实、中论、唯识、因明等，而士君子亦觉得不能握其简要，故不甚昌盛。所以说中国佛学之特质在禅，半由中国元有之士人习尚所致。因为若抽去此士夫思想关系，仅由敬崇梵僧，则变成神咒感应之信仰，或成为乐着分析辩论之学术。而中国则在其玄简士习中，成为精澈之禅风，这就是中国佛学之特质在禅的原因。但是虽说在禅，而又不局于后来所谓之禅宗，其范围较宽，故今先说禅宗以前之禅。

第二节　依教修心禅

修心即修定，亦可名修禅修观，增上心学即增上定学故。依教二字，即显非后来"教外别传，不立文字"之禅宗，因禅宗与教是相对立的。禅宗以前的禅，是依教修观的禅。依教就是依教理，如天台教观，即可说为依教修禅，即依教解理，摄心修定之谓。禅宗与教对立，密宗亦与显教对立，在密宗未曾独立以前，有所谓杂密。因为很早就译来有《孔雀明王经》等，并附各大乘经末诸咒等，都未与显教对立，而仅依附经而行，故名杂密。西藏分密为四：事密、行密、瑜伽密、无上瑜伽密。其事密亦名作密，即中国所谓杂密，就是念什么咒，有什么作法作用之意。禅宗前依教修心之禅，以禅宗立场看，等于密宗之杂密。故依教修心之禅，尚非"教外别传"之禅宗。此依教修心禅，分四段以明：

一、安般禅

安般禅，乃就一分特点而立。安世高译有《安般守意》，《阴持入经》，专明禅定，成为汉、魏、晋初修习禅定之禅法。此经明数息修禅，亦摄其余种种禅法，但最要的在调息（阴即五阴之阴，由守意而摄心）。安氏传入此经后，自修亦教人修。安氏既由修禅定起诸神通，智慧亦大，使人对之仰慕信崇，此经遂为当时修禅之根本法。三国时的康僧会，曾为注解而修习安般禅；东晋时为一般士大夫所推重之支遁（支道林）亦游心禅苑，注《安般守意》；道安也从竺法济、支昙受《阴持入禅》，注解《般若》、《道行》、《密迹》、《安般》诸经。不过在道安之时，《弥勒上生经》也已传入，乃率弟子法遇誓生兜率，是为由禅而回向净土者。道安的友好，有服气修仙之隐士王嘉，所以后人或谓佛教之禅出于仙道家，实则道安那时之调息禅，虽迹近仙修，原为佛教传来所有。还有比道安早的帛僧光，在石城山习定，每经七日起定。后经七日未起，弟子启视，乃知入定而化。又如竺昙猷，在石城山石室入禅。僧显示"数日入禅，毫无饥色"，且兼于定中见阿弥陀佛，命终念佛生西。这种禅风，皆受《安般守意》、《阴持入经》而启发，所以叫做安般禅。

二、五门禅

佛陀密译《五门禅法要略》，近于五停心。五停心乃对治多贪的不净观，多嗔的慈悲观，多痴的因缘观，散乱的数息观，多慢的五阴、十二入、十八界分析无我观。然此第五门，在当时已改为大乘的念佛观。《禅法要略》于五门均有讲到，但对念佛一门特详，观顶上或脐间出一佛、二佛，乃至五方五佛。此观佛三昧，已为后求密法之基础。另外与此五门禅法相近的，有僧护著的《坐禅三昧经》，为罗什译；罗什又自集有《禅法要略》；觉贤三藏亦译《达摩多罗禅经》（觉贤与罗什同时）。还有一位译《弥勒上生经》的居士安阳侯沮渠京声，又译有佛大先的《禅秘要治病法》。此类佛典，大致相近，所以归纳在一起。但亦有小异，以五门重在念佛禅，而罗什之《佛法要略》则重于实相禅。《五门禅法》序说："三业之兴，禅智为要。禅无智，无以深其寂；智无禅，无以寂其照。"此为当时修禅之要旨，即后来实相禅与宗门禅所谓"即寂而照，即照而寂"，亦仍不出此几句要言。当时有玄高从佛陀禅师学（佛陀或云即佛陀扇多，或云即佛陀跋陀罗），禅功甚高，为佛陀禅师所印证，叹为希有，深得时主之敬信，其所现之神用颇多。觉贤虽从事翻译，以弘禅法为主。魏孝文帝崇敬佛陀扇多，造少林寺授徒修禅，还有昙摩耶舍，亦在江陵大弘禅业。僧稠从佛陀弟子道房习禅，其禅境为少林寺佛陀祖师赞为葱岭以东修禅第一。当时的国王，曾要求僧稠禅师显神通，稠答以佛法不许。王苦求之，乃以袈裟置地，王令多人取之不动，稠命一侍者毫不费力地持去。其后梁武帝奉佛舍道，道士陆修静率众去北齐，要求国王许与僧徒比验，究看若真若假，设佛教无能，即请奉道。爰集所有僧道，而道士有符咒功能者，尽将所有和尚之袈裟饭钵腾上空中，僧咸惊慌。时众中有僧稠禅师之弟子昙显，出其师用之袈裟，令道士咒之，无能动者。如是道士之术失灵，王仍信佛。可见僧稠禅力之伟大。当僧稠时，帝王欲专从禅法，尽废经律，僧稠以禅律相通谏之，乃免。弥见当时禅法有惊人发展。此为禅宗以前之禅的第二阶段。

三、念佛禅

此说念佛禅，为后来专门持名之念佛法门所从出。但其不同的，当时修念佛禅的人，大都是注重禅定而念佛，所以他们的念佛，也就成了修习禅定的法门了。

本来五门禅内已经有了念佛三昧，然此念佛禅，乃是进一步专重念佛的行法。此念佛禅之开始，并不在五门之后。依中国佛教的历史看，在后汉末与安世高同时，有支娄迦谶者，翻译《般舟三昧经》，以不坐不卧之长行而念佛，故又名长行念佛三昧。支娄迦谶译的《首楞严三昧经》，也是念佛三昧所摄。关于阿弥陀佛之经典，有现在我们常念的《阿弥陀经》，为罗什译，但此前已有译过；又有《观弥勒上生经》，这两种经都是主张念佛生净土的。道安以前已有僧显禅师，在禅定中亲见弥陀，往生净土。道安法师初修安那般那禅，后来又持弥勒名，誓生兜率。所以念佛禅在慧远前已萌其端。

念佛禅虽在道安前已萌芽，而专主提倡的则是庐山慧远法师。《小弥陀经》里有持名念佛法门，慧远法师即依此法门而创庐山之莲社。慧远法师虽专重结社念佛，而他的念佛仍是修禅，故他并不同于后来与禅分家的念佛者。总之，他的念佛乃即禅之念佛，故当慧远法师临终时说："我在定中，三见净土与圣众。"既云在定中见净土与圣众，那末他所修的念佛法门，不用说是"即禅"的了。慧远法师既结社念佛，于是时哲多往依止，故有"庐山十八贤"之集合。当时诸贤，如慧永、慧持、耶舍等，皆是修禅定而兼修净土的。净土法门既得时贤之弘传，遂因之确定于世。所以说念佛禅正式倡修的是慧远法师，这是有史实根据的。

次后如昙鸾法师，因讲《大集经》而致病，乃欲修得长生，再弘《大集》。他本为北魏人，因为要求长生术，所以来至南朝梁地。当时南朝人以为他是奸细，便报于梁武帝，帝因请其说法，便问南来之意。鸾谓南方有为炼气修仙所宗之陶隐君，欲从之而修长生。武帝乃听往访。鸾法师既见陶隐君，便得了长生术，他就又回到北方。在洛阳遇菩提流支，问印度佛教法中有无长生术。菩提流支菲薄中国仙术，而授《观无量寿佛经》，并谓依此修，必得真正长寿。鸾法师因受菩提流支之启示，遂焚仙术，回河西专修无量寿佛法，广弘传之。

是时之净土三经一论，所谓《小本阿弥陀经》、《无量寿经》、《观无量寿佛经》，与世亲的《净土论》，已是完备。昙鸾法师就是专门弘讲三经一论的，所以净土宗的根本教义，即确立于昙鸾法师。

再后有道绰禅师，这大概到了隋朝了。道绰禅师原是修习禅定的，后来因为看见昙鸾法师的遗著，遂决意专修净土。此等诸师都是修禅定的，不过道绰禅师也专重持名念佛，所以以"每天七万佛"为日课，并教人以豆记数念佛名。

由以上这几位禅师，就可以代表中国的念佛禅。后来到了唐朝，又有善导法师弘扬为最盛。日本的净土宗，就是传承昙鸾、道绰、善导的教系。善导以下，等到讲净土宗的时候再讲。

四、实相禅

实相禅也不一定后于五门禅与念佛禅，不过就其盛行时言之，则后于念佛禅罢了。实相禅与实相三昧，名称出于罗什的《禅法要略》。罗什以前，早有依《般若》、《法华》修空观即实相观的。罗什翻译的《中论》、《智论》、《法华》、《维摩》等，皆详谈实相，因之便为实相禅所本。不过罗什乃弘传经论者，只是重于教理的研究，并没有专门倡修禅定，故在罗什的禅略，不过传述观法而已。后来用为实地修行的，则为慧文、慧思、智者等，从慧文诸师相承下来，才正式地成立中道实相禅。

慧文禅师，《高僧传》里没有他的传记。在慧思禅师传中，附带地谈到说："北齐有禅师慧文，学徒数百，众法清肃，道术高尚，慧思乃往依止。"《高僧传》里关于慧文的事情，仅仅附带的谈了这么几句。而在天台宗的诸祖传记上，关于慧文的记载较详细。

慧文禅师是依《中论》、《智论》而修的，从《中论》的"因缘所生法，我说即是空，亦名为假名，亦名中道义"的理境上修观，这就是即缘生法而见三谛的道理。而他的最重要的心要，则是《智论》的"三智一心中得"。三智是：遍了法性的一切智，自行化他的道种智，了法无二的一切种智。一切智是空观所成的，道种智是假观所成的，一切种智是非空非假即空即假的中道观所成的。而《智论》的三智一心，即是以一心的三观而观一境的三谛所成。一境三谛即是诸法实相，一心三观即是实相禅，所以慧文禅师才是修实相禅的。

慧思禅师初依慧文修学，发八触而得初禅。后放身倚壁，未至壁顷，便忽然悟入法华三昧，深达实相，遂弘法于南朝。于是便成"南北禅宗罕不承绪"的高德。由此也就可以想见当时慧思禅师盛弘禅法的概况了。

当慧思禅师盛弘禅法时，有智者禅师从之修学。思师于禅观之余，亦常讲经论，得智者后，令代为众讲。智者讲《金经》（大品）至"一心具万行"，而起疑问，思即教修法华三昧。后智者读《法华》至《药王品》的"是真精进，是名真法供养"处，遂亲见灵山一会俨然未散，与思禅师同在灵山听法。以此求印证于慧思，思乃谓汝已得法华三昧前方便，纵使文字思议之徒百千万，亦不足以穷汝玄辩矣。后来，智者禅师因陈帝之请，传禅讲经于南京的瓦官寺，"九旬谈妙"的公案，就在这个时候留下来的。到隋朝，他又因晋王炀帝之请，而传授菩萨戒。他虽因世主的请求入京弘讲，但他不久就回到山中，他最后就终于天台山。寂然如入禅定，端坐如生。

由上面看来，实相禅法是由慧思、智者始盛弘，而智者禅师又是一切禅法之集大成者。如他所著的《小止观》，略述修禅前方便，《六妙门》是讲安那般那禅的。智者禅师说安那般那禅是不定禅，因为小大偏圆都可以修，并不定是那一类人的；禅波罗密次第法门，则含摄更广，从安般禅以至念佛实相禅，皆包括在里面；《摩诃止观》与思师的《大乘止观》，则是专门讲实相禅的。所以智者禅师，实为一切禅法之集大成者。

以上所说，为依教修心之四种禅。此四种禅不但当时流行，即后来有了宗门禅，也还是流行于世。如作《高僧传》之唐道宣律师的《习禅篇》后，就曾讲到"如斯习定，非智不禅……则衡岭台崖扇其风矣"。可见虽有宗门禅之对立，但一般修禅者，仍以慧思、智者等依教禅为尚。

大概在北魏、南齐时，禅法独盛于北方。即如慧文禅师亦北齐人，慧思就学慧文于北方，后始至南朝弘禅。北方盛行的大都为五门禅中的禅。稍后，菩提达摩亦到，如《僧传》云："菩提达摩阐道河洛。"据现在禅宗的传说，达摩乃梁武帝时来中国的。但《僧传》则说宋时已到北方，与僧稠禅师所倡导的禅并行。如云："高齐河北，独盛僧稠；周氏关中，尊登僧实。"又云："稠怀念处，清范可崇；摩法虚宗，玄旨幽赜。"就是说菩提达摩

的禅，不依教理，故玄旨幽奥难见。由此看来，当时在
北方盛行的禅有二：一为僧稠禅，一为达摩禅。至梁时
慧思禅师等，始行禅法于南方。依"非智不禅"之意，
道宣律师是推崇慧思与智者的。不但此也，且对达摩有
很严厉的批评，因为他是持律的，对达摩禅的生活方式
根本就不赞成。如他说："运斤挥刃，无避种生；炊爨饮
啖，宁惭宿触。"他又对达摩禅的内容作这样批评："瞥
闻一句，即谓司南，昌言五住久倾，十地将满，法性早
见，十智已明。……相命禅宗，未闲禅字，如斯般辈，
其量甚多。"意即谓达摩禅徒，动言五住烦恼已尽，十
地已满而成佛了，其实连禅字都没有认识。这是批评达
摩禅不重律仪，不依教义，自以为顿悟成佛。由此可见，
唐初在慧能未出世以前所推崇的，仍然是依教禅，因为
这是依戒定慧修的。道宣律师的批评，也确为后来禅宗
盛行而戒行慧学都衰落的预兆。

第三节　悟心成佛禅

悟心成佛禅，是不立文字，教外别传的禅。它主张
直指人心，见性成佛，故亦可名见性成佛禅，或即心是
佛禅。

禅的历史发展过程，可以密宗来作比例。我曾讲先
有杂密，胎藏界等，至善无畏、一行等，始成为独立的

密宗，而与显教对立。禅的发展，起初也是依经教而修的，至达摩东来，才成为独立的禅宗。才为后世分宗下、教下之所本，而成为达摩的宗门禅。

自悟心成佛禅以下，皆为宗门禅。详见《景德传灯录》、《禅林僧宝传》、《传法正宗记》、《宗统编年》、《指月录》等书。这一种菩提达摩禅，另有一个传承的系统：从过去七佛起，传至释迦牟尼佛灵山拈花、迦叶微笑为传佛心印初祖，迦叶传阿难为二祖，乃至二十八祖达摩为东来初祖，至慧能为六祖。佛佛祖祖之所传，各各有一首传法偈。然而这种传承，不能免掉后人的疑难，如问从七佛至二十七祖之传法偈，有何根据？释迦灵山拈花，迦叶微笑，根据的什么经？古来禅师亦只好答，系出达摩口传。还有《付法藏因缘传》谓传至二十四祖师子尊者为止，则二十五祖至达摩之传承，又有什么根据？虽明教嵩《传法正宗记》及《论》，尝谓二十五祖婆罗多罗，二十六祖弗若密多，二十七祖达摩多罗，西域犍那三藏曾说及；而梁僧佑《出三藏记》所载萨婆多部所传，亦有此三祖。然而疑仍莫决，只可断为达摩口传如此。因为这样重口传，不依教典，故称为达摩宗门禅。

一、超教之顿悟

顿悟禅之独立宗门，虽以达摩为主因，但亦由当时很多增上缘助成的。这就是说，中国当时已富有超教顿悟的风气。据《高僧传》所载,远在什公与佛陀跋陀罗,就有问答,但禅宗则传说系佛陀跋陀罗与道生的问答。如跋陀问道生怎样讲涅槃,道生答以不生不灭。跋陀说:"此方常人之见解。"道生问:"以禅师之见解,何为涅槃?"跋陀手举如意,又掷于地。道生不悟,跋陀乃拂袖而去。道生学徒追上问云:"我师讲涅槃不对吗?"跋陀说:"汝师所说,只是佛果上的,若因中涅槃,则'一微空故众微空,众微空故一微空,一微空中无众微,众微空中无一微。'"

其次,慧远法师亦说到"至极以不变为性,成佛以体悟为宗",此即说明体悟至极不变的法性即为成佛。僧肇的《涅槃无名论》说:"不可以形名得,不可以有心知。"亦明究竟旨归,超绝言教。道生法师曾有顿悟成佛说,影响当时的思想界很大。

保志初修禅观,后多神异,梁武帝很尊重他,宫中出入无禁。武帝一天问他:"我虽信佛法,烦恼如何断治?"保志答:"十二。"又问:"如何静心修习?"答曰:"安乐禁。"后代禅宗,谓所答与灵山拈花乃至达摩禅下的棒喝一脉相通。其所作《大乘赞》、《十二时颂》、《十四科颂》,共三十六颂。如"终日拈花择火,不知身是道场",及"大道常在目前"等,皆显示悟心成佛禅意。史称志公为观音应化,曾现十二面观音像,为僧繇所不能画。传说中的观音应化者,唐时尚有泗洲僧伽,禅宗亦录及其问答。

第二章　中国佛学特质在禅

与保志同时的，还有一位傅翕，即平常所说的傅大士是。据《传灯录》所载，他住在现在的浙江义乌地方，自谓已得首楞严三昧，七佛相随，释迦在前，维摩在后。梁武帝曾请他进京讲《金刚经》，他上座将抚尺一挥，就下了座。围绕在座前座后的听众，简直莫名其妙。志公谓帝："此大士讲经竟。"从他这种说法的举动看来，他虽不属达摩的传统，但与后来的宗门禅是作风一致的。如他有颂云："夜夜抱佛眠，朝朝还共起。欲识佛去处，只这语声是。"如此之类的颂文，还多得很。如云："空手把锄头，步行骑水牛。人从桥上过，桥流水不流。"这在普通的常识都是讲不通的，但它内面含有无限的深意在。他是宣示自证境界，非虚妄分别之言语思维可了知。

又作《心王铭》云："观心空王，玄妙难测。……水中盐味，色里胶青。决定是有，不见其形。六门出入，随物应情。自在无碍，所作皆成。了本识心，识心即佛。……除此心王，更无别佛。"这铭文更显然为悟心成佛禅。相传他是弥勒应化。还有在中国应化的弥勒，即李唐后奉化布袋和尚。他也有很多的诗和偈，有一偈云："只个心心心是佛，十方世界最灵物。纵横妙用可怜生，一切不如心真实。"此颂也与傅大士《心王铭》一贯。

前面讲实相禅的时候，曾经讲到南岳慧思禅师，思师亦与保志同时。当他隐居山中的时候，志公向他传语：

"何不下山教化众生?"慧思答曰:"三世诸佛,被我一口吞尽。更有甚众生可教化?"这些话也类宗门禅语。

更有华严的始祖法顺(即杜顺),《禅录》上说:"法顺作法界观,文简意尽,天下宗之。"又说他尝作《法身颂》云:"青州牛吃草,益州马腹胀。天下觅医人,炙猪左膊上。"传说杜顺是文殊化身。说为文殊化身的,还有与拾得同隐居天台山的寒山。他的诗很出名,其格调语浅而意深,故他在诗坛上,是白乐天的先河。寒山外,还有后来作《华严合论》的李长者,从诸法性空明华严,传说与杜顺、寒山,同是文殊化身。

以上这些,都是达摩宗门禅兴起前的增上缘。或依经论教义提出简单扼要的玄旨,或别出不依经律论义乃至非言语文字所能及的风格,故总名此为"超教之顿悟"。

二、达摩与慧可

达摩,在《高僧传》与《传灯录》里记载不同。《高僧传》谓达摩是刘宋时来中国的,比译四卷《楞伽》的求那跋陀罗稍后。至北魏,在嵩山专以禅法诲人,因此惹起盛弘经律者的毁谤。惟有道育、慧可二少年沙门,锐志高远,精进求学,侍奉四五年。达摩感其精诚,乃示以理入与行入二门。理入门,即明无自他凡圣之别的真性,凝住壁观,坚住不移,不随他教,与道冥符,寂然无为,是名理入。行入门有四种:一、报怨行。修道遇有苦厄的时候，当念此是业报，是我宿世所作业因，现在应当安心忍受，不生憎厌。二、随缘行。遇有顺境，无所贪着，缘尽归无，何喜之有？因此得失随缘，心无增减。三、无所求行。就是对于世间的一切都无所求，因为三界都是苦的。四、称法行。即称法性之理而行。此四种入行，万行同摄，亦与理入无碍。此依《高僧传》说，并传慧可四卷《楞伽》以印心云。

但《传灯录》则说他是梁武帝普通年间（二年或七年八年）来中国的，初到广州，刺史表闻武帝，武帝乃迎接他至金陵。武帝问他道："朕即位以来，造寺写经，度僧不可胜纪，有何功德？"达摩答曰："并无功德。"帝曰："何以无功德？"答曰："此但是人天小果有漏之因，如影随形，虽有非实。"帝又问："如何是真功德？"答曰："净智妙圆，体自空寂，如是功德，不以世求。"帝进问："如何是圣谛第一义？"答曰："廓然无圣。"帝曰："对语者谁？"答曰："不识。"帝问既高，而达摩答不能相契，以机缘不投，达摩乃潜渡北上。志公对武帝说："达摩是观音菩萨化身。"帝拟遣人追回，志公曰："阖国人追去，亦不能回矣！"

达摩北上，至嵩山少林寺，便面壁而坐，终日默然。时有神光，系一中年博闻善讲之士，闻达摩之名，特地跑到少林寺去亲近他。他到了少林，见达摩朝夕端坐，面向墙壁，默然无语。神光自己心里便这样想：古人求法，敲骨取髓，刺血济饥，布发掩泥，投崖饲虎，今我何人？如是他就在一个大雪夜里，端正地立在达摩的旁边，积雪过膝。这时达摩很怜悯他，道："汝久立雪中，当求何事？"神光悲痛而泣曰："愿和尚慈悲，开甘露门，广度群品！"达摩曰："诸佛无上妙道，旷劫精进，难行能行，难忍能忍，以小德小智轻心慢心，欲冀真乘？"神光听了，乃潜持利刀，断臂于达摩之前。达摩知是法器，为易名曰慧可。可问曰："诸佛法印，可得闻乎？"答曰："诸佛法印，匪从人得。"可曰："我心未宁，乞师与安。"达摩说："将心来，与汝安。"慧可觅心不得，乃曰："觅心了不可得。"达摩说："与汝安心竟。"所以神光易名慧可，是从他顿悟的智慧而印可的。

后来达摩欲回印度，便召集门人说："时候到了，你们怎么不各言所得？"时有门人道副说："如我所见，不执文字，不离文字，而为道用。"达摩说："你只得我的皮。"一尼名总持的说："我今所解，如庆喜（阿难）见阿閦佛国，一见更不再见。"达摩说："你得我的肉。"道育说："四大本空，五蕴非有，而我见处，无一法可得。"达摩说："你得我的骨。"最后慧可礼拜达摩，依位而立。达摩说："你得了我的髓。"因此便将衣法及四卷《楞伽》传与慧可。有偈曰："吾本来兹土，传法度迷情。一花开五叶，结果自然成。"并云："内传法印以契证心，外付袈裟以定宗旨。……二百年后，衣止不传。"自此以后，在中国有了不立文字的宗门禅。

达摩示寂之后，葬在熊耳山。过了三年，魏宋云奉

第二章　中国佛学特质在禅

使西域，归途中遇达摩于葱岭，见达摩手提一只鞋。宋云问他到那里去，他说回西天（印度）去。宋云回到魏国，将此事呈禀皇帝。帝即令把达摩的坟掘看，一掘开，只见遗留下来的一只鞋子，大家都觉惊奇。这只履西归，又永留了一重公案。

由上面看来，《高僧传》与《传灯录》记载达摩的事不同，这或者是因为达摩年寿很高，在中国很久，《高僧传》只记录了达摩初来中国的前一段，或是一般人所熟知的事；《传灯录》记载后一段，或是口传慧可的事。

达摩初创了禅宗，慧可为第二祖。据《高僧传》说，慧可侍奉达摩有六年之久，承受衣法后，于天平二年到北齐邺都大弘禅法，因此一般咬文嚼字的法师们，便嫉妒他，障碍他，排斥他，甚至派刺客杀害他。据说他的臂骨被折断，这或许也是那些偏执文字之徒干的。《传灯录》说，他后来在筦城县匡救寺门前谈无上道，很多人围着他听。时有辩和法师讲《涅槃》于寺中，以其徒转从慧可参禅，大兴毁谤。那一县的知县翟仲侃，听了辩和的谗言，竟以非法加诸慧可，慧可就遇难了。这时，他已有了一百零七岁的高龄。

《高僧传》里说有一位向居士，幽遁林野，淡泊自修，曾寄可一书以示意："除烦恼而求涅槃者，喻去形而觅影；离众生而求佛，喻默声而寻响。"可也答之以偈云："说此真法皆如实，与真幽理竟不殊。本迷摩尼谓瓦砾，豁然自觉是真珠。"又有化公、廖公、和禅师、那禅师、慧满等，皆曾直接或间接受可之薪传，但无真正嗣法的弟子，故说"末绪无嗣"。

可是据《传灯录》的说法，那就不同了。《传灯录》说：可得法后，到北齐天平二年，有一居士（或即《高僧传》里所说的向居士），年逾四十，一日来见可云："弟子身缠风恙，请和尚忏罪！"可乃运用达摩的作风答覆他："将罪来，与汝忏。"这位居士静默了半天，说："觅罪不可得。"可便说："与汝忏罪竟。宜依佛法僧住。"居士说："今见和尚已知是僧，未审何名佛法？"可谓："是心是佛，是心是法，法佛无二，僧宝亦然。"当时这位无名居士听了慧可这几句话，深有所领悟地说道："今日始知罪性不在内，不在外，不在中间；如其心然，佛法无二也。"这实在也就是达到了悟心成佛之旨。所以慧可听了，也就很高兴地许其出家，而且还这样地夸奖："是吾宝也，宜名僧灿。"过了二年，可便传法与僧灿，传法偈云："本来缘有地，因地种华生。本来无有种，华亦不曾生。"要按平常的理解讲起来，这也不出缘起性空的道理。然而这不是一种理解，而是一种契悟。可传法后，嘱僧灿隐居深山，谓不久将有法难，自身并须遇害以酬宿债。

由于可之被害，可以知道慧可显然是不依经教而力弘别传禅法的人。正因为他所弘的是不依经教的禅，所以多处惹起讲经持律者的嫉视与障难。后来宗与教的对峙，也可以说就是受了他的影响。

三、僧璨至弘忍

僧璨，前面已经说过，他是以居士身而得法于二祖而出家的。《高僧传》里，没有僧璨的传，也没有说道信从璨受法，仅于法冲的传上，附带地说到"可禅师后璨禅师"。但《传灯录》则谓璨师得法于二祖后，隐居于皖公山。至隋开皇十二年，有沙弥道信（年四十岁），来向他求解脱法门。他问沙弥："谁缚汝？"沙弥谓："无人缚。"于是他就提醒似的说："何更求解脱乎？"道信听了这话，便于言下大悟。随侍三祖，服了九年的劳役，方传衣法。传法偈云："华种虽因地，从地种华生。若无人下种，华地尽无生。"僧璨既把衣法传给道信，于是他就到罗浮山去隐居。后来仍回到皖公山而终，即今三祖山是。

僧璨留下宗门的重要文献，有《信心铭》。《信心铭》里开头说："至道无难，唯嫌拣择。但莫憎爱，洞然明白。毫厘有差，天地悬隔。欲得现前，莫有顺逆。……六尘不恶，还同正觉。"最后是："信心不二，不二信心。言语道断，非去来今。"这也就充分表白了悟心的禅意。

从僧璨到弘忍，中间还有四祖道信。道信曾经六十年胁不着席，可以想见他的精进了。他住破头山，山里有一种松老人，要从他出家，他说你现在老了，出家无用了，必欲出家，可俟再世。

多年后，有一天到黄梅县去，路上遇见一小儿。他问小儿何姓，小儿说："性即有，不是常性。"他又问何姓，小儿说："是佛性。"又问："你没姓吗？"小儿说："性空故。"于是他就知道这小孩即是向者要从他出家的那个老人转世。原来那位老人因受了他的激发，死时在一条河边上，向一位洗衣服的处女"借宿"。这位女子并不知道他的用意，答云："要问父母。"老人说："你答应一声便可。"处女就糊里糊涂地答应了，于是老人就投胎于这位处女了。处女既怀了孕，就被他的父母所发觉，认为是辱败门庭，就把她赶出家门。后来这个女子沿途乞化，生了小孩，这就是道信现在所遇到的这个小孩了。因为他没父亲，所以他也就说不出他姓什么。道信既知道了这个小儿来历，于是就问他的母亲让他出家。他的母亲因感于行乞的不便，所以就很慷慨地许他出家了。

道信既然得了小儿，于是待长成时，就把衣法传给他了。传法偈云："华种有生性，因地华生生。大缘与性合，当生生不生。"

唐贞观年间，太宗因仰慕道信祖师的德风，所以再三地召他入京。他皆以病辞，终不一赴。第四次，太宗乃告诉使者说："如果不起，即取首来。"使者到山，把这意思告诉了他，那知他毫不怯惧地引颈就刃。他这样一来，倒把使者吓退了。太宗听了这种高风，不但是让他山居，而且更加钦慕了。

高宗永徽年间，道信就终于破头山。他虽久已入塔，但多年后塔门自开，仪相俨然如生。四祖、五祖皆留供肉身。

四祖旁出有牛头山法融禅师，法融禅师《高僧传》里很详，但并未谈到与道信的关系。《传灯录》里则说，四祖一天到牛头山，访融禅师，当四祖到牛头山时，看见法融禅师的周围有许多虎狼在那里，便故意举手作恐怖状。法融禅师见了便说："你还有这个在？"等一会儿，法融禅师进屋里去了，四祖就在法融禅师的石座上写一"佛"字。法融禅师出来，刚要往座上坐，乃发现座上有个"佛"字，于是突然缩身恐怖（这是真的恐怖）。四祖便说："你也还有这个在吗？"因此一言，法融禅师顿把平日修学的放下，进受四祖法要，承了心传，别开牛头山一支。一直传了六世，分传的有八十余人。

四祖的嫡嗣是弘忍，弘忍就是五祖，也就是那个无姓小孩。后来在黄梅东山即五祖山，成立了东山禅风，座下常数百人。因为那时多向慕他是达摩的正统，所以求法者多到他那里去修学。

弘忍常劝人诵《金刚经》。广东新州卖柴养母的卢慧能，因听人诵《金刚经》到"应无所住而生其心"句，忽有领悟。遂安顿其母，至黄梅参五祖。五祖问他："从什么地方来，来此何事？"他说："从岭南来，唯求作佛。"五祖说："岭南人无佛性。"他说："人即有南北，佛性岂然!"五祖便知道他是个利根人,便叫他槽厂去做舂米工作。过了八个月,五祖叫门下的人,各作一首表现心得的偈子,得旨者便传衣法。当时大家都推重首座神秀,秀乃作了一偈,书之于壁云:"身是菩提树,心如明镜台。时时勤拂拭,勿使惹尘埃。"五祖见了这个偈子,知道是神秀作的,便赞叹道:"后代依此修行,亦得胜果。"并令门下人都诵念此偈。卢行者在碓坊里,听见大家每夜念着这么一个偈子,便不自禁地问他的同学们说:"你们念的是什么?"同学们便说:"你不知道吗?祖师为要传法,所以教大家各述一偈,我们念的就是秀上座作的。祖师说这首偈甚好,所以教我们大家都诵念。"行者说:"请你再念一遍给我听听。"这位同学就念给他听,他听了之后说:"美则美矣,了则未了。"这位同学便责备他:"庸流何知,勿说狂言!"行者不与争论,也和作一偈。到了晚上,他便请一个识字的,书于神秀偈旁:"菩提本无树,心镜亦非台。本来无一物,何处惹尘埃?"五祖见了这一偈,乃以袖拂去云:"亦未见性!"可是他跟着就到碓坊里,密示卢行者,于夜里三更天到丈室里去受法。行者知道了五祖的密意,所以就在这天夜里去见五祖。五祖再为说《金刚经》,说到"应无所住而生其心"句,慧能彻悟自性本不生灭,本无动摇,本来清净能生万法。五祖乃付衣并法偈云:"有情来下种,因地果还生。无情复无种,无性亦无生。"传法已,五祖诫六祖:从此以后,"衣"止不传。

第二章 中国佛学特质在禅

六祖因《金刚经》开悟，五祖亦为讲《金刚经》。达摩原是以《楞伽》印心的，第以《楞伽》名相繁细，易使学人流于分别，且二祖亦尝谓："此法（楞伽）四世之后，变为名相。"所以五祖就提倡《金刚经》。有人推论以那时达摩笈多译出无著《金刚经论》，六祖于南粤受其传，才改用《金刚》，这是没有根据的。

《传灯录》的诸祖的传承，大致如上。此外还有近从敦煌石室发现的《楞伽师资记》，此书中国未传，被日本僧得去了。民国十五年，此日本僧曾以此书请我作序，但至今尚未刊布来中国。这部《楞伽师资记》里，所记的传承共有七祖，就是楞伽师求那跋陀罗为初祖，达摩为二祖，慧可为三祖，僧灿为四祖，道信为五祖，弘忍为六祖，神秀为七祖。由神秀为七祖上看，可以知道这部《楞伽师资记》是神秀的门人所传的。该记的内容，都是四卷《楞伽》的心要。有人臆揣道信、弘忍已受了留支的影响，改宗魏译《十卷楞伽》了，也全无根据。在诸祖的传承上，弘忍后以神秀为正统。弘忍下有十人，第十人才是慧能，虽有慧能，而并不重要。由此可见，神秀一偈，是述的楞伽有宗；而慧能一偈，则是般若空宗，故五祖云都未见性。待室中再为说《金刚》，慧能乃大悟自性，而传衣法。

此外还有贤首教义的顿教，其内容也就是禅宗。因为在贤首时，禅宗已盛行，所以别开顿教以安置之。但慧能后禅宗的开展，又非贤首的顿教所能范围，故附言于此弘忍、慧能间。

四、慧能之师资

五祖弘忍后，神秀弘禅于北方，甚为高宗、中宗及武后所崇奉。慧能则弘于广东曹溪，故对神秀北宗而称南宗。后来所谓宗门，实到慧能南宗，始巍然卓立。因六祖前仅有少数人相传，自初祖至四祖，始分牛头一支；至五祖遂分南顿、北渐二宗。六祖南宗下，始波澜壮阔。

慧能六祖，在前讲五祖时，已曾提到。当五祖欲付衣法，叫慧能夜半入丈室，为说《金刚经》，至"应无住而生其心"句，六祖遂大彻大悟，说："何期自性本来清净，何期自性本不生灭，何期自性本自具足，何期自性本不动摇，何期自性能生万法！"五祖知其彻悟，乃付衣法。并当夜送至九江舟中，慧能又有"迷时师度，悟时自度"之对答。五祖回，逾三日，始告大众："衣法已南矣。"众知，乃渡江向岭南追去。时僧中有个叫做惠明的，乃将军出身，身强足捷，超越众人前，先追到了六祖。六祖置衣钵于石上，匿身林莽中。惠用尽平生之力，提衣不动，乃大声唤："行者，行者！我为法来，不为衣来。"慧能出见，惠明作礼道："求行者为我说法！"慧能说："不思善，不思恶，正与么时，那个是明上座本来面目？"惠明于言下大悟。又问："上来密语密言外，还别有密言否？"慧能说："吾言非密，密在汝边。"惠明于是即礼六祖为师，后来改名叫道明，以避

第二章 中国佛学特质在禅

师讳。惠明还至中途，告大众说："我追上前去，一点影子都没有，并且道路极其难走。"众遂同还。

六祖到了广东，五祖门下还有许多人去找寻，故许多年来东藏西隐，常与猎者一起。猎人叫他守网，辄放其生物，且自以野菜于猎人锅边煮食。后来到广州法性寺，适印宗法师在那里讲《涅槃经》，当时因风吹幡动，有一僧说是幡在动，一个说是风在动，争论不决。六祖听见了，对他们说："不是风动，不是幡动，是仁者心动。"僧众听了，都十二分地惊异。印宗法师也晓知了，请他上坐，乃问道："行者定非常人，久闻黄梅衣法南来，莫是行者否？"慧能也不隐避而答应了，于是印宗为请当地的高僧大德，给六祖剃发授戒。并问："黄梅付嘱，如何指授？"慧能说："指授既无，唯论见性，不论禅定解脱。"这就是说，唯以见性成佛为最要而已。

六祖自后于曹溪开堂说法，开头就教人念南无摩诃般若波罗密多，直提即心是佛、悟心成佛的宗旨。唐中宗仰其道风，遣内供奉薛简迎祖进京，六祖不肯。遂请法要，问曰："京城禅德皆云：'欲得会道，必须坐禅。'师意如何？"祖曰："道在心悟，岂在坐耶？仁者欲明心要，但一切善恶都莫思量，自然得入清净心体，湛然常寂，妙用恒沙。"一日告众曰："达摩禅宗，自此周遍沙界。"当于众中说付法偈云："心地含诸种，普雨悉皆萌。顿悟华情已，菩提果自成。"此明顿悟自心，即成菩提的宗旨。衣止不传，留供曹溪。时得法者有三十三人。

这些人，在《法宝坛经》里都有问答。其中最特出的，有青原行思、南岳怀让二位，而以青原禅师为首座。因为这是后一期禅风的开始人，留待下说。

此外有一位法海禅师，相传六祖《坛经》就是他记录下来的。法海初见六祖，问如何是即心即佛，祖曰："前念不生即心，后念不灭即佛；成一切相即心，离一切相即佛。"法海于言下大悟，《坛经》载有八句偈颂。

还有一个最奇特的是永嘉玄觉，先精修天台三止三观，后来与玄策禅师，同从温州到曹溪见六祖，振锡而立。六祖云："沙门者，具三千威仪、八万细行，大德自何方而来，生大我慢？"永嘉禅师说："生死事大，无常迅速。"祖曰："何不体取无生，了无速乎？"答："体即无生，了本无速。"于是六祖即为印可说："如是，如是。"盖永嘉禅师乃先悟入心地者，不过要心心相印，求六祖为之印证而已。六祖印可后，永嘉这才具威仪礼拜。少顷，即告辞欲去。祖曰："返太速乎？"答："本无去来，岂有速耶？"祖曰："谁知本无去来？"答："仁者自生分别。"祖曰："汝甚得无生之意。"答："无生岂有意耶？"祖曰："无意谁当分别？"答："分别亦非意。"祖叹曰："善哉，善哉！且留一宿。"故后人称永嘉为"一宿觉"。永嘉见六祖后，说有《证道歌》，起首云："君不见，绝学无为闲道人，不除妄想不求真。无明实性即佛性，幻化空身即法身。法身觉了无一物，本源自性天真佛。"乃至云："大象不游于兔径，大悟不拘于小节。莫将管见窥苍苍，未了吾今为君决。"盖南宗门下之禅悟既高，不免为人惊奇疑谤，故结示决断。

神会见六祖的时候，还是个沙弥。初见祖时，祖与之问答，因其口头滑利，曾被六祖痛打过一顿。六祖示寂前，一日于众中说："吾有一物，无头无尾，无名无字，无背无面。诸人还识否？"神会在众中出曰："是诸佛之本源，众生之佛性。"祖曰："向汝道无名无字，汝偏唤作本源、佛性，汝向后有把节盖头，也只成个知解宗徒。"祖灭后，神会于北方大弘六祖顿宗，著《显宗论》，传法数十人。所传五台无名下，出第三代澄观国师，即华严第四代祖。至第五代道圆禅师下，又出圭峰宗密，即华严五祖。这些，都可归入悟心成佛禅之传统。

前期道宣律师之评，是推重天台止观。此期依圭峰之评，则推重达摩所传之禅法了。如说："带异计，欣上厌下外道禅"，此如中国修仙者等。"信因果，欣上厌下凡夫禅"，这是已能正信因果，欣上厌下以修的，故为凡夫禅。此二种为世间禅。"悟我空偏真之埋，二乘禅；悟法空所显真理，大乘禅。"这是说，单悟我空所显偏真之理，即二乘禅；双悟我空法空而修的，即为大乘禅。此二种为出世间禅。他于是又说："若顿悟自心本来清净，元无烦恼，无漏智性本自具足，此心即佛，毕竟无异，依此而修者，是最上乘禅，亦名如来清净禅。"此即明顿悟自心，即心即佛的宗旨。又说："达摩门下辗转相传者，此禅也——最上一乘禅。达摩未到，古来诸家皆四禅八定，天台依三谛修三止三观，义虽圆妙，然亦前诸禅相。惟达摩所传，顿同佛体，迥异诸门，故宗者难得其旨。得即疾证菩提，失则速入涂炭，错谬者多，疑谤亦众。"此圭峰所论，可为这期禅法的确评。

第四节　超佛祖师禅

第二期假立名曰"超佛祖师禅"。本来各期之禅，原是血脉贯通，而不能割裂的，不过就其某一特点，假立名称，以为区别之符号而已。这期之禅，为什么叫做超佛的祖师禅呢？如丹霞曾说："佛之一字，吾不喜闻。"赵州亦云："念佛一声，要漱口三日。"又如南泉常说："马祖道即心即佛，我这里不是心，不是佛，不是物。"这皆是以超佛而言。当时凡提问者，都是问祖师西来大意，可见已将佛推过一边，惟以祖师意为中心。又可见六祖之下，宗风大畅，祖师所传的禅，已为当时一般参学的所崇仰。祖师西来意，尤为学者首应明白的目标，故即成为超佛而以祖师为中心的禅法。此与密宗之发展过程相比，则为以金刚界为中心之密法，亦即西藏所分四级中之第三级瑜伽密。金刚智与不空传金刚界密法于中国，已不同胎藏界以佛为中心；金刚界有时以东方不动佛为中心，且于佛菩萨改名什么金刚等，理都变成智，唯以金刚为中心，佛乘成为金刚乘了。而宗门

第二章 中国佛学特质在禅

此期，亦以祖师禅法为中心，如来禅成为祖师禅了。此是印度密法之发展，可比之于中国禅法之发展的。

一、行思与怀让

吉州青原行思，初见六祖，问曰："当何所务，即不落阶级？"祖曰："汝曾作什么来？"答："圣谛亦不为。"祖曰："落何阶级？"答："圣谛也不为，何阶级之有？"六祖深器之，命为首座。后回江西青原山，隐居静居寺。六祖将要示灭，沙弥希迁问曰："和尚百年后，希迁未审当依附何人？"祖曰："寻思去！"沙弥以为叫他自己去寻思静想，及祖灭，果常于静处独坐思惟，寂若忘生。第一座问曰："汝师已逝，空坐奚为？"希迁说："我禀遗诫，故寻思尔。"第一座曰："汝有师兄行思和尚，今住吉州。汝因缘在彼，师言甚直，汝自迷耳。"迁承第一座指点，乃往吉州亲近行思。行思见希迁，问曰："子何方而来？"答："曹溪来。"问："在曹溪将得什末来？"答："未到曹溪亦不失。"思曰："恁么，用去曹溪作什么？"答曰："若不到曹溪，争知不失！"迁遂在行思座下，事奉十五年。一日，希迁问道："和尚昔在曹溪，六祖识师否？"思曰："汝今识吾否？"希迁说："识又争能识得？"思为印可曰："众角虽多，一麟足矣！"又一日，行思拿把拂子，示付法意。问希迁曰："曹溪还有这个么？"答："非但曹溪，西天亦无。"思曰："汝莫曾到西天？"答："若到即有。"此种一问一答，皆是在不触犯

不可说的，而托显不可说的，已为后来之曹洞兆端。又
一日，思命希迁送封信到南岳怀让禅师那里去，说：
"汝达书了速回，吾有个钝斧子与汝住山。"希迁到了南
岳，并不拿书出来呈递，只是说："不慕诸圣，不重己灵
时如何？"怀让禅师答道："子问太高生，何不向下问？"
迁曰："宁可永劫受沉沦，不从诸圣求解脱。"怀让也就
没有再问。希迁信也未交，便回见行思。行思问："子去
未久，送书达否？"答："信亦不通，书亦不达。"思曰：
"作么生？"希迁具如前答，并问："走时和尚许个钝斧
子，便要领取。"行思禅师乃垂下一只脚来，希迁遂作
礼，辞往南岳。南岳怀让禅师是金州人，年十五，往荆
州玉泉寺，依弘景律师出家。受具后，偕同学坦然，同
往嵩山慧安和尚处。承安和尚指示，乃诣曹溪。六祖问
曰："甚么处来？"答："嵩山来。"祖曰："什么物？恁
么来？"答："说是一物即不中。"祖曰："还可修证否？"
答："修证即不无，染污即不得。"祖曰："只此不染污，
诸佛之所护念。汝既如是，吾亦如是。西天般若多罗，
谶汝足下出一马驹，踏煞天下人，应在汝心，不须速
说。"怀让契悟了，侍奉左右十五载，始居南岳般若寺，
阐扬禅宗。开元中，有一个沙门叫做道一，来此寺，常
常一个人独自坐禅，不看经，也不向人求法。怀让知道
他不是平凡人，因往问曰："大德坐禅图什么？"答：
"图作佛。"他不愿听法，怀让也不多说。于是拿一个砖
头，在他坐前石上去磨。起先道一并不理睬，仍自独坐，

怀让也老是去磨。久之，道一这才问："磨砖作么？"师
曰："磨作镜。"道一说："磨砖岂得成镜？"怀让说：
"磨砖既不成镜，坐禅岂能成佛？"道一于是知道光是身
坐不行，必须用心。因问法要，让禅师曰："心地含诸
种，遇泽悉皆萌。三昧华无相，何坏复何成。"道一蒙开
悟心地，于言下顿悟。事师十余年，乃离南岳。

南岳弟子六人，皆为印可曰："一人得吾眉，善威
仪。一人得吾眼，善顾盼。一人得吾耳，善听理。一人
得吾鼻，善知气。一人得吾舌，善谈说。一人得吾心，
善古今。"得心的即道一。

马祖道一，离开南岳，去江西开堂说法。南岳让遗
僧，待上堂时问"作么生"，道一曰："自从胡乱后，三
十年不曾缺盐酱。"这就是说，一悟悟彻底，妙用无穷，
一切现成。

思、让同时的，有洪州惟政禅师，首使南禅北传。
他开元时到西安，禅讲诸德知道他是慧能会下来的，乃
请说法。当时还有许多禅师、法师向他问难，然而这位
惟政禅师，确是禅辩无碍，问答无穷。从此，南禅即为
北方崇仰了。又神会禅师亦于天宝年末，到北方著论，
显南宗顿旨。先是北方以神秀为六祖，及神会去了之后，
始定慧能为六祖，并尊神会为七祖。这是可见于敦煌石
室新发现的《神会和尚传》。还有慧安下元珪禅师，禅
悟既高，慧辩尤胜。《传灯录》载嵩岳神求受五戒，为
岳神所说法语，非常超卓。慧忠禅师亦出六祖会下，他

是越州诸暨人，于南阳白崖山隐居四十年，不曾下山。肃宗仰其道风，于上元二年，敕中使孙朝进请入京都，住千福寺，礼为国师。禅慧深妙，辩才无穷。代宗时复请住光宅精蓝，说法十有六载。时西天大耳三藏来京，自言曾得他心通，帝命国师试验。国师初二两度以涉境心问，三藏皆能知答。第三次如前问，即不能答，国师斥去之。一日有僧来，说南方即心即佛，色身如房子一样，活时遍全身，打头头痛，打脚脚痛。色身必灭，死时身灭而心不灭，如人出房子，此心即佛。国师说："此与西天外道所说的神我何异！"经过重重辩驳，国师令此僧仔细反观蕴、入、处、界，一一推穷，有纤毫可得否？僧说："反观之下，了无可得。"问："汝坏身心相耶？"曰："身心性离，有何可坏？"曰："身心之外，另有物否？"僧曰："身心无外，宁有物耶？"曰："汝坏世间相耶？"僧曰："世间相即无相，何用更坏！"慧忠国师乃为印可曰："如是可离过矣。"问答间，使之计穷疑尽，豁然契悟，胜过造一部论。

二、希迁与道一

希迁即石头迁，是青原行思禅师传承之下的。道一即是马祖，是南岳怀让禅师传承之下的。

希迁禅师是广东高要人，他从小就在六祖会下做沙弥，从行思禅师得法的因缘，已于前讲过。后来在南岳山一个形状如台的大石头上结庵而住，故都叫他石头禅师。一日，有人问他："曹溪意旨谁人得？"他答道："会佛法人得。"又问："师还得否？"他说："不得。"问："为什么不得？"他说："我不会佛法。"又有人问："如何是西来意？"他说："问取露柱。"问者说："学人不会。"他说："我更不会。"又有人问："如何是禅？"他说："碌砖。"又问："如何是道？"他说："木头。"这些，都是他的不可捉摸的"禅语"。

古来相传，石头迁著有一篇《参同契》，以"竺土大仙心，东西密相付"开端，结以"谨白参玄人，光阴莫虚度"。共有几十句，为曹洞宗的重要文献。不过这篇文章，在当时并未传布，后来才有人说是石头迁作的。所以也有人说此文系曹洞宗后人所作，不是希迁作的。

希迁一日普示大众道："汝等当知，自己心灵体离断常，性非垢净，湛然圆满，凡圣齐同，应用无方，离心意识。三界六道，唯自心现，水月镜像，岂有生灭？汝能知之，无所不备。"这是迁师说法的大旨。嗣法门人十多个，已不如青原的孤寂了。

道一禅师是四川什邡人，因为他俗家姓马，所以都称他做马祖。他从南岳得法后，也曾回到什邡罗汉寺，但他后来常住江西所开龚公山。一日示大众说："汝等诸人，各信自心是佛，此心即是佛心。达摩来传，令汝等开悟。"又说偈云："心地随时说，菩提亦只宁。事理俱无碍，当生即不生。"这也可以说就是马祖的付法偈。有人问他："和尚为什末说即心即佛？"他说："为止小儿啼。"又问:"啼止时如何?"他说:"非心非佛。"又问:"除此二种人来,如何指示?"他说:"向伊道不是物。"又问:"忽遇其中人来时如何?"他说:"且教伊体会大道。"又有人问:"如何是西来意?"他拿棒便打,且说:"我若不打汝,后来天下人将笑我在!"

马祖在江西大弘禅宗,所以六祖预言说:"让下将出一马,踏杀天下人。"当时得法于马祖的,有一百三十九人,而百丈怀海最为上首。

一日,有一僧向马祖道:"离四句绝百非,请师直指西来意。"马祖说:"我今日头痛,可问西堂智藏去。"僧去问智藏,智藏说:"今日没有闲工夫,汝去问海师兄。"僧问怀海,海说:"我到这里却不会。"马祖问之,便说:"藏头白,海头黑。"

马祖会下门人既多,希迁门下亦不少,所以"禅法之盛,始于迁、一"。

与希迁、道一同时的耽源真应禅师,是南阳慧忠国师的侍者。一天慧忠国师连叫真应三次,真应连应三次,忠国师乃谓:"将谓我辜负汝,却是汝辜负我。"忠国师逝世后,真为国师设斋,有人问:"国师还来否?"真答道:"未具他心。"问者谓:"既如是,何用设斋?"真道:"不断世谛。"

复有径山道钦禅师,亦是代宗国师,有一天钦国师在宫中坐,代宗入来,钦起立迎之。代宗谓:"师何起立?"钦道:"陛下何得于四威仪中见老僧?"一日,马祖借书于道钦，书中只画一圆相，钦乃在圆相加一点。忠国师闻之，便说："钦师犹被马师惑。"

又有天台云居智禅师，慧辩锐利，一日示众说："清净性中，无有凡圣，亦无了不了人。人随名生解，即堕生死。"

三、百丈与道药

百丈名怀海，一日他问马祖："忽然有人来问佛法时如何?"马祖取拂子举示。又问："只这个还别有?"马祖复将拂子放回原处，反问百丈道："汝将后如何为人?"丈亦取拂子举之。马祖道："只这个还别有?"丈亦将拂子放回原处。马祖遂大喝一声，当使百丈耳聋三日。后来百丈在大雄山，将此事告诉给黄檗、沩山，檗闻之吐舌。丈问檗道："汝已后莫承嗣马祖去。"檗云："不然，若嗣马祖，以后丧我儿孙。"这就是表示亲从百丈得见马祖大机大用，故应嗣百丈，而不嗣马祖。

一日沩山侍丈座右，丈要沩山"并却咽喉唇吻道一句"。沩山说："请和尚道。"丈谓："不辞与汝道，久后丧我儿孙。"这是百丈下开出临济、沩仰二家的根源。

百丈开示大众云："灵光独耀，迥脱根尘，体露空常，不拘名字，心性无染，本自圆成，但离妄缘，即如如佛。"此义不但平实简朴，亦且圆透中肯。他每逢说法下座，大众已出，辄呼众，当众回首时，他却问："是什末?"后来遂传此为"百丈下堂句"。

丈以前皆依律寺，寺中别设禅院。至马祖乃开荒山，另建丛林，然尚无一定规矩。百丈始立清规，有人问以何不用菩萨戒规，丈谓："吾所宗，不局大小乘，非异大小乘，当博约折中，设于制范。"百丈所立的清规，确实简要。寺主称长老，住处叫方丈，示同净名的"丈室"，方圆一丈大的房子，里面只设一张床，坐卧依之。又不立佛殿，以表"当代为尊"。特重法堂之设，长老说法，两序雁行立听。自马祖建丛林，百丈立清规以后，禅众有如法依处，禅宗遂卓焉兴立。

道，指道悟禅师。道悟是婺州东阳人，初谒径山国一禅师，受心法，服务五年。在大历年间，抵钟陵谒道一，重印可前解，悟又住了两年。后来去参石头迁祖，问曰："离却定慧，以何法示人？"石头答曰："他这里无奴婢，离个什么？"悟曰："如何明得？"石曰："汝还撮得虚空么？"悟曰："恁么？则不从今日去也。"石曰："未审汝早晚从那边来？"悟曰："不是那边人。"石曰："我早知汝来处。"悟曰："师何得以赃诬于人！"石曰："汝身见在。"悟曰："虽如是，毕竟如何示于后人？"石曰："谁是后人？"道悟于此语下顿悟，遂将前二哲处有所得心俱尽。

后来道悟住荆州天皇寺，将要示寂的时候，一天晚上，寺中一位典座来问疾，召云："会么？"典座说："不会。"师即将座上的一个枕头，掷在地上，便示寂了。

第二章　中国佛学特质在禅

关于道悟的记载，在禅宗的历史上，宋明间有很多诤辩。因为当时有两个道悟，一住天皇寺，一住天王寺。所以临济宗的人说，这个道悟不是石头迁之下的，仍出于马祖下。但《传灯录》既载是石头下的，今便仍之。若说石头所传法，不应出道悟下德山一般的人，此亦不然，法本无名无相，因人设化岂有所拘，石头下不也曾出过丹霞一流的人么？

药，是石头下沣州药山惟俨禅师。一天他静坐着，石头见之，问曰："作么？"答曰："一切不为。"曰："闲坐耶？"答曰："闲坐即为。"曰："汝道不为，且不为个什么？"答曰："千圣亦不识。"石头乃以偈赞曰："从来共住不知名，任运相将只么行。自古上贤犹不识，造次凡流岂敢明！"

有一次，院主请他上堂说法，大众集于法堂。他没说什么，就回方丈去了，并且把门也关闭起来。院主进问："为什么却归方丈？"师曰："经有经师，律有律师，论有论师，又争怪得老僧！"

又有一次，一僧问道："已事未明，乞和尚指示！"他说："吾今为汝道一句亦不难，汝能于言下见得，还可；若更入思量，却成吾罪过。不如且各合口，免相累及。"僧又问："达摩未到时，此土还有祖意否？"曰："有。"问曰："既有祖师意，又来作什么？"曰："只为有，所以来。"药山与僧的问答，大概如此。

当时的太守李翱，慕药山名，特入山相访。药山在松树下，手执经卷，睬也不睬他。李翱性褊急，乃忿然曰："见面不如闻名。"拂袖欲行。药山曰："何得贵耳贱目！"李翱见药山和他说话，内心觉得惭愧，便问师曰："如何是道？"师以手向上一指，向下一指，问曰："会么？"翱曰："不会。"师曰："云在天，水在瓶。"翱欣惬作礼，即呈偈曰："练得身形似鹤形，千株松下两函经。我来问道无余说，云在青天水在瓶。"李翱又问："如何是戒定慧？"师曰："我这里无此闲家具。"翱不测其玄旨，师曰："太守欲得保任此事，直须向高高山顶坐，深深海底行……"李翱受了药山开示，作《复性书》，兆宋儒理学之端。

百丈、道悟、药山同时的，还有南泉普愿禅师斩猫等出格奇事。有一晚，同在月下徘徊，马祖问道："正恁么时如何？"西堂藏答正好供养，百丈答正好修正，南泉闻之拂袖而去。马祖当即云："教归藏，禅归海，唯普愿独超象外。"后来师说法南泉，徒众有从谂等数百人。一天东西两堂争猫，师捉着了，便持刀向众说："道得即救取猫儿，道不得即斩却也。"众僧无对，他把那猫儿斩了。后来赵州自外面回来，师即将前语告之，赵州乃将鞋子脱下，顶在头上走出去。师便道："当时你若在，猫就可以救得了。"

还有归宗常禅师，在山坡铲草，有一法师来参访。他铲出一条蛇来，便一铲将蛇铲断。法师带着轻视口吻道："久向归宗，到来只见个粗行沙门。"师云："是你粗？是我粗？"法师曰："如何是粗？"师将锄竖起。法师又问："如何是细？"师作斩蛇势。这粗与细，是有无分别的意思。

行思门下的丹霞天然禅师，本是个去求选官的士子，有人向他道："选官何如选佛！"他问到那里去选佛，那人告以江西马大师处。他就跑去见马祖，以手掀幞头示意。祖曰："汝机缘在石头。"遂见石头。石头一见，即命他作工去。有一天，石头告众，到堂前除草。而他却端一盆水，将头洗净，拿一把剃头刀，跪到石头面前。石头见其会意，乃为之剃头出家。剃头后，去见江西马祖，不进客堂，直到僧堂，骑在圣僧像上。众白马祖，马祖见曰："我子天然。"他即跳下拜祖，因此他就以天然为名。有一次晚上，在一个庙子里，将佛像搬来，烧火烤手。寺主骂他，他道："我烧取舍利。"寺主说："木像何有舍利？"他说："既没舍利，何妨再拿几个来烧。"

像这样奇人奇事很多。还有个石巩，他原是一个猎人，不大欢喜和尚。有一次，逐群鹿经过马祖的门前，马祖迎之，他问道："和尚见鹿过否？"祖曰："汝是何人？"答曰："猎者。"祖曰："汝解射否？"曰："解射。"祖曰："汝一箭射几个？"曰："一箭射一个。"祖曰："汝不解射。"曰："和尚解射否？"祖曰："解射。"曰："和尚一箭射几个？"祖曰："一箭射一群。"曰："彼此是命，何用射他一群？"祖曰："既知如是，何不自射?"石巩听了,即领悟出家。后来他见人来参问,便作张弓势,所以又留下"石巩张弓"的公案。

还有邓隐峰禅师飞锡的故事。有一次,路遇两军交战,胜负不分,他乃掷锡飞过空中,那些打仗的军队,见一个和尚从空中飞过,都觉得奇怪,便双方仗也不打了,去看他,战争也就因此而息了。他显了神通之后,怕人家说他惑众,便去五台山入灭。问众僧道:"人除了坐死卧死之外,有立着死的吗?"众答曰:"有。"又问:"有倒立着死的吗?"众曰:"不曾见过。"于是他就倒立起死了,并且衣服还是顺脚的。众僧要为他迁化,可是推拿不动。他有一妹是个比丘尼,闻之来向他说:"兄在生作怪,死了还是作怪!"说了,一推就倒了。

这些奇禅以外,与百丈同时更有善于辩论者,如慧海禅师。他参马祖,祖曰:"从何处来?"曰:"越州来。"祖曰:"来作什么?"曰:"求佛法。"祖曰:"自家宝藏不顾,抛家散走作什么?我这里一物也无,求什么佛法!"曰:"哪个是慧海自家宝藏?"祖曰:"即今问我者是。一切具足,使用自在,何假外求?"师于言下识自本心,作礼而去。回到越州,曾著《顿悟入道要门论》一卷,融经论的妙义,阐明禅宗的要旨。马祖见过了,便上堂说:"越州有大珠,圆明光透。"大众都知是指的慧海,所以慧海后来就得大珠的称号。

唐朝辟佛的韩愈,贬在潮州,遇大颠和尚问答,心为折服。一日,愈问大颠曰:"军州事繁,佛法省要处乞

第二章 中国佛学特质在禅

师一语。"大颠良久不作声,问愈云:"会么?"愈云:"不会。"大颠的侍者,将禅床敲了三下,颠曰:"作什么?"侍者曰:"先以定动,次以智拔。"于是愈曰:"师门风高峻,幸于侍者边得个入处。"

又有盘山宝积禅师,示众曰:"夫心月孤圆,光吞万物,光非照境,境亦非存,光境俱亡,复是何物?禅德!譬如掷剑挥空,无及不及,斯乃空轮无迹,剑刃无亏。若能如是,心心无知,全心即佛,全佛即人,人佛无异,始为道矣。"即人即佛,盘山是首创。

有一位最著名的居士庞蕴,字道玄,也出在那时。他先参石头,便问:"不与万法为侣者是什么人?"石头以手掩其口,遂有省。石头一日问他:"近来日用事作么生?"他以偈答道:"日用事无别,惟吾自偶谐。头头非取舍,处处勿张乖。朱紫谁为号,丘山绝点埃。神通并妙用,运水及搬柴。"后参访马祖,仍问:"不与万物为侣者是什么人?"祖曰:"待汝一口吞尽西江水,再为你道。"他于言下大悟不可说中的无碍,就从此机辩纵横,在马祖那里住了两年。他一家人都甘贫乐道,有偈曰:"有男不婚,有女不嫁。大家团栾头,共说无生话。"一次,在家中忽然叹说:"难,难,难,十石油麻树上摊。"庞婆说:"易,易,易,百草头上西来意。"他的女儿灵照便应声说:"也不易,也不难,饥来吃饭困来眠。"可见他一家人共说无生话的实况。他将要入灭时,对他的女儿说:"日午我将走。"遂命出外看日迟早，女报曰："已经近中午了，但有日蚀。"他出外看，并未日蚀，回到房里，却见他的女儿坐在自己的位上先去了。便笑道："我女锋捷矣!"过了七天，有州牧于公来问病，他便枕在于公的肘上而逝。庞婆见老头儿、女儿都走了，乃跑到田里去告诉儿子。儿子听说父亲、妹子都走了，他也就站着倚锄而化。庞婆便道："你们都这样，我偏不然。"后来遂不知所终。以上都是禅宗盛于迁、一后的公案。

四、云龙与黄沩

云是云岩，即昙晟禅师，他是建昌人，俗姓王，少年出家于石门。初参百丈禅师，未悟，在百丈那里住了将近二十年。后来转参药山，言下契会。一日药问道："闻汝解弄狮子，是否?"曰："是。"曰："弄得几出。"曰："弄得六出。"药山曰："我亦弄得。"师曰："和尚弄得几出?"药山曰："一出。"师曰："一即六，六即一。"药山肯之，师拜谢。后在云岩山住，洞山良价等都去亲近他。一日示众曰："有一个人，随你问他什么，没有讲不出的。"洞山问："他家里有多少典籍?"师曰："无一字。"洞曰："那末，哪里来的这许多知识?"师曰："他日夜不曾眠。"此明日夜惺惺常觉也。洞山问："我欲问一事，可否?"师曰："道得，却不道。"此为云岩上承药山，下传洞山的回互问答。

与云岩同参药山的，还有一位道吾禅师。吾一日问

第二章　中国佛学特质在禅

药山曰："大悲千手眼，那个是正眼？"师曰："如无灯时，摸得枕子。"吾曰："我会也！我会也！"师曰："怎么生会？"吾曰："遍身是眼。"云岩为易一字曰："通身是眼。"此种一字的改正，后来也成为曹洞宗的宗风。云岩著有《宝镜三昧》，洞山付法与曹山时，始尊重密传，此《宝镜三昧》遂为曹洞宗重要文献之一。全文有一百多句，其最初云："如是之法，佛祖密付。汝今得之，宜善保护。银碗盛雪，明月藏鹭。类之弗齐，混则知处。"后结云："潜行密用，如愚如鲁。但能相续，名主中主。"

　　龙，即龙潭崇信禅师。他是荆州人，从天皇寺道悟禅师出家。好多年，道悟未向他说法。一日，他问道悟："我亲近和尚甚久，未蒙和尚指示心要。"悟曰："吾常指示心要，云何说未？"师曰："何谓指示心要？"悟曰："汝端茶来，我即为接；盛饭来，我即为食；汝礼拜，我则领首；何一不是指示心要？"师低头沉思良久。道悟曰："悟则直悟，拟思即差。"龙潭在此开示下，顿得悟解。并进问道悟："如何保任？"悟曰："任性逍遥，随缘放旷，但尽凡心，别无圣解。"龙得法于道悟后，住沣阳龙潭山。一日说法，僧中有问："轮王髻中珠，谁人得？"师曰："不赏玩者得。"又问："安在何处？"师曰："汝有处，道来！"此见龙潭会下问答的一斑。后有德山（云门法眼由德山下开出）来参访曰："久向龙潭，到来潭却又不见，龙亦不现。"龙潭曰："子亲到龙潭。"云岩与龙潭，都是出于青原下的。今再叙百丈下的黄蘗与沩山。

黄蘗，前在百丈下已提过，他是福建人，出家就在福建黄蘗山。出外参学的时候，在天台山路遇一僧，相谈甚洽，同行至一巨涧，洪水暴涨，不能过渡。那僧便捐笠植杖，涉水而渡，像走在地面上一样。并且回头唤黄蘗道："渡来，渡来！"黄蘗呵曰："这自了汉！"那僧赞道："真是大乘法器，我所不及。"言毕，忽然不见了。那涉水的僧人，就是显神通的罗汉。

蘗后游江西参百丈，在百丈会下，为众中之首。一日，师自外归来，百丈问："何处归来？"答曰："大雄山下采菌子来。"百丈曰："见大虫（老虎）么？"师便作虎叫，百丈作手执斧头砍虎势，师即扑上去，打了百丈一掌，百丈大声笑了。第二天，遂上堂示众曰："大雄山下有一大虫，汝等也须仔细提防，老僧今天亲遭一口。"

后挂搭某寺，宰相裴休来寺中，见供有古德的遗像，问寺中的众僧："遗像在此，古德在何处？"寺僧无一人答得，推出黄蘗来。裴仍举前话问，蘗呼曰："裴休！"裴应诺，蘗曰："即这是。"裴欣然领悟。曾作一偈，礼蘗为师，请往洪州大安寺说法。一日上堂，大众云集，师即以棒将大众驱散，并骂道："尽是些来赶热闹的吃酒糟汉！"有一次，他又说："大唐国内无禅师。"众中一僧出来问道："在诸方尊宿，聚众开化，为什么道无禅师？"师曰："不道无禅，只道无师。"有时有人问他："如何是西来意？"他动棒就打。黄蘖还有一事可特提的，就是唐武宗后复兴佛教的唐宣宗，在做王子的时候，因为兵荒马乱，曾避难于寺中，做过小沙弥。有一天，黄蘖在殿上礼拜，小沙弥记着黄蘖常日所说，问曰："不着佛求，不着法求，不着僧求，要礼拜作么？"黄蘖突打他一掌，说："不着佛求，不着法求，不着僧求，常作如是礼。"沙弥曰："是则是，只是太粗气。"蘖又打他一掌，说："这是什么地方，说粗说细！"后来宣宗做了皇帝，裴相为师请封号，帝因曾挨过黄蘖的打，还记得这是个粗行沙门，但又知道他确有证悟，所以还是封他为"断际禅师"。黄蘖又曾参过南泉，南泉作《牧牛歌》请和，示欲付法意。蘖知其意，乃曰："我已有师承。"即表示他已奉百丈为师。

　　沩山即灵祐禅师，他参学于百丈。一日，百丈谓师曰："汝拨炉中，有火否？"他拨一下，云："无火。"百丈走下座来，亲自去拨，拨到很深处，拨出了一点火，便示祐道："此不是火？"祐即大悟礼谢，并陈其所悟。百丈曰："此乃暂时歧路耳。经云：'欲见佛性，当观时节因缘。'时节既至，如迷忽悟，如忘忽忆，方省己物不从他得。故祖师云：'悟了同未悟，无心亦无法。'只是无虚妄凡圣等心，本来心法，元自备足。汝今既尔，善自护持。"因此灵祐得了百丈的深机深用。

　　百丈会下有一位司马头陀，他懂天文、地理、相命、阴阳。一日自外归，谓百丈曰："沩山是个千五百人的道场。"百丈曰："老僧可往乎?"头陀曰："沩山是肉山，和尚是骨人，老和尚居之，徒不盈千。"百丈乃令观众中，问第一座华林可去否? 头陀曰："此人亦不相宜。"又令观典座灵祐，头陀曰："此人可去。"华林对百丈说："我忝居第一座，尚不能去住，祐公何能去耶?"百丈说："若能于众中下得一转语出格，当去住持。"乃指座前地上净瓶曰："不得唤作净瓶，汝唤作什么?"华林云："不可唤作木㮮也。"百丈未肯，乃转问灵祐。祐什么也不说，便上前一脚踢倒净瓶。百丈笑曰："第一座输却山子也。"遂遣灵祐住沩山。然沩山是块荒山野地，人烟稀少，祐一个人在那里住了多年，才稍得地方人信仰，助为开辟道场。曾领悟于黄蘗的裴休，也去参访他，与他问答，深契玄奥。因此禅风大振，来参学问道者渐渐地多起来。于是垦荒开田，住下的僧众，果然多到一千五百。众中有人问："顿悟之人，更有修否?"师云："若真悟得本，他自知时，修与不修，是两头语……"他又开示徒众曰："若也单刀趣入，则凡圣情尽，体露真常，理事不二，即如如佛。"此为其说法之要旨。仰山尝问道："如何是西来意?"师曰："大好灯笼。"仰山曰："莫只这个便是么?"师曰："这个是什么?"仰山曰："大好灯笼。"师曰："果然不识。"有一次，师对仰山道："寂子速道，莫入阴界。"仰山曰："慧寂信亦不立。"师曰："子信了不立，不信不立。"仰山道："只是慧寂，更信阿谁？"此种沩仰的问答，便为沩仰宗风。师将入灭时，谓众曰："老僧百年后，向山下作一头水牯牛，左胁书五字云：'沩山僧某甲'。此时唤作沩山僧，又是水牯牛；唤作水牯牛，又是沩山僧；到底唤作什么即得？"遂留下"沩山水牯牛"的公案。

与沩山等同辈的，还有赵州从谂禅师。一天，有学人来亲近他，他问道："来过未？"新到的学人说："没有来过。"他便说："吃茶去。"接着又有人上来，他同样地问道："来过未？"来者说："已来过！"他也说："吃茶去。"院主听了，乃议论道："和尚为什么未来过的教吃茶去，见了已来过的也是教吃茶去？"于是赵州便呼云："院主！"院主答应了。也同样地说："吃茶去！"这就是所谓"赵州茶"的公案。

与云岩同参的道吾及船子禅师，皆是药山传承之下的。一日船子谓吾、岩二师云："兄等应各据一方，建立药山宗旨。予率性疏野，唯好山水，无所能也。他后知我所止之处，若遇灵利座主，指一个来，或堪授生平所得，以报先师之恩。"遂至秀州，泛一小舟，随缘度日，以待当机者的来访。

后来，道吾听夹山说法，道吾在座下听了不觉发笑。夹山下座后，虚心请问，道吾乃指往华亭县船子处去参问。夹山便往华亭参访船子，船子才见，便问："座主住甚么寺？"夹山答道："寺即不住，住即不似。"船子谓："不似，似个什么？"夹山道："目前无相似。"船子谓：

"何处学得来?"夹山道:"非耳目之所到。"船子谓:
"一句含头语,万劫系驴橛。"接着又问道:"垂丝千尺,
意在深潭,离钩三寸,子何不道?"夹山刚要开口,船子
一篙便把他打落水中。夹山刚扒上船,船子又说:"道!
道!"夹山还没有开口哩,又被一篙打下水了。夹山在
这个时候,豁然大悟,遂点头三下。船子曰:"钓尽江
波,金鳞始获。"并云:"竿头丝线从君弄,不犯清波意
自殊。"且嘱道:"汝今已得,他后莫住城隍聚落,但向
深山里镢头边,觅取一个半个,接续无令断绝。"夹山
便辞去,一面走,一面回头。船子知其尚疑别有,乃唤
道:"阇黎!"待夹山回首,船子竖起桡子说:"汝将谓
别有!"遂覆船入水而逝,以绝夹山余疑。

这期叫做超佛祖师禅,可引沩山之下的智闲公案,
作一个点明。智闲是一个博学多闻的人,一天沩山向他
道:"我不问汝平生学解及经卷册子上记得者,如何是
汝父母未生前本来面目?试道一句来!"智闲茫然莫答,
后在经书上找,说了一些,沩山皆不许。智闲乃请沩山
为说。沩山说:"吾说得是吾之见解,于汝眼目又何益
乎?"智闲乃回寮,叹道:"画饼不可充饥!"便尽焚所
有的经录,并说:"此生不学佛法也,且作个长行粥饭
僧,免役心神。"乃泣辞沩山而去。过南阳慧忠国师的
道场香严寺,见已荒废,乃独居参究。一日因锄地芟草
时,掷瓦片击竹作声,廓然省悟。遂归庵沐浴焚香,遥
礼沩山道:"和尚大悲,恩逾父母!当时若为我说却,何

有今日事耶！”且寄沩山一偈云：“一击忘所知，更不假修治。动容扬古路，不堕悄然机。”沩山见了，告仰山说：“智闲彻悟了。”仰山说：“尚待试过。”后来仰山见了智闲，便问道：“师弟近日见处如何？”香严当答一偈道：“去年贫，未是贫；今年贫，始是贫。去年无立锥之地，今年锥也无。”仰山乃谓：“师弟虽会如来禅，祖师禅尚未梦见在。”香严在这讥讽之下，遂又答一偈道：“我有一机，瞬目似伊。若还不识，问取沙弥。”仰山听了这一偈，方首肯道：“且喜师弟会得祖师禅。”如来禅与祖师禅的出处，就在这里。仰山初许香严会得如来禅，而不许其会祖师禅，便是以祖师禅犹有超过如来禅处。所以这一期叫做“超佛祖师禅”。

　　如来禅与祖师禅相差之点，究在何处，大家可以考究一下。不过要略为点明，也不甚难。所谓“去年贫，未是贫；今年贫，始是贫”，这是道出修证的阶级；而所谓“若还不识，问取沙弥”，这指明了本来现成，当下即是。所以如来禅是落功勋渐次的，祖师禅是顿悟本然的。仰山抑扬之意，也就此可知。不过这不是口头上讲的，是要自己契悟的。

第五节　越祖分灯禅

　　自下讲“越祖分灯禅”。宗下常常讲“超佛越祖”，

"超佛"不已，就要"越祖"。"分灯"是五宗分传禅灯，在达摩时就已经说过"一花开五叶"，所以五家分灯，是达摩早已预计过了的。

禅宗发达到这个时期，完全是以当代为尊，且智齐于师，减师半德；智过于师，方堪承当。对于问祖师意的，便说何不问自己意，使学参的人，个个超天超地，无所覆盖。所以便有呵佛骂祖的德山，佛祖俱不礼的临济，一齐出现。

这一期的禅宗，可例于密宗在印度发展到了无上瑜伽的阶段，已离开慈和怡悦的佛菩萨，而变成了丑怪狰狞的金刚药叉。犹之分灯禅已超佛超祖，而各自称尊了。不过同在发展的阶段，而发展的方向上则二者迥殊，盖禅宗独立不倚，而密宗广列本尊也。西藏由印度盛行传入无上瑜伽，在朗达摩灭法之后，后之密乘流变，终不出无上瑜伽之五大金刚；而五宗分灯，亦均起于唐武宗灭法之后，其后之禅宗演变，也不出五宗范围，现在再次第讲说。

一、沩仰之邃密

百丈传承之下的大机大用，黄檗、临济得之；而深机深用，则沩仰得之。沩山、仰山，父唱子和，深邃奥密之宗风，至是大著，故谓"沩仰之邃密"。设非仰山之深邃，则沩山虽奥密，亦无由彰。沩山前面已经讲过，现在就讲仰山了。

第二章 中国佛学特质在禅

仰山初以沙弥参耽源，已悟禅宗大旨。一日，耽源将忠国师所传之九十六圆相给仰山，仰山一览便烧却。过几天，耽源谓仰山曰："九十六圆相，乃是忠国师从上祖传下来的，你须善为保存。"仰山谓："我已焚之。"耽问："何故焚之？"仰说："用得便可，不可拘执。若必要者，可重绘之。"遂重绘以呈耽。次日耽源上堂验仰山，仰作相托呈了，叉手而立。耽乃两手相交，作拳式示之。仰山便进前三步，学作女人式礼拜。耽遂肯之。后来仰山离耽源师，而往沩山，沩山问云："汝是有主沙弥，无主沙弥？"仰答："有主。"沩山又问："在什么处？"仰乃从西过东立，沩山器之。

一日，仰山问："如何是真佛住处？"沩山答道："以思无思之妙智，返思灵焰之无穷，思尽还源，性相常住，事理不二，真佛如如。"仰于言下大悟。自此执侍十五年之久，遂成沩仰宗。

一日，仰山从田中回来。沩山问："何处去来？"仰答："田中来。"沩山问："田中多少人？"仰插锹而立。沩山乃谓："今日南山，大有人刈茅在。"仰便拔锹而去。沩仰师资关于这一类的机锋，举不胜举。

一日，黄檗差临济送信给沩山，当时仰山在沩山做知客，接信已，谓临济道："这是黄檗的，还是你的？"临济举掌便打，却被仰山约住，云："知是这般事便得。"临济所到处，都要遭他毒打，而遇着仰山，却动手不得。由此可见仰山禅法之高了。

过后，沩山问仰山道："百丈从马大师处得到大机大用，有何人得之？"仰山道："黄檗得大机，临济得大用。"沩肯之。

后离开沩山，住江西仰山说法。一日，庞居士来访，谓："久闻仰山，到来为何却覆？"仰山竖起拂子道："是仰是覆？"居士乃打露柱道："要露柱证明。"仰遂掷却拂子，说："到诸方如何举扬！"

刘侍御尝问了心之旨，仰山乃示之以偈云："若要了心，无心可了；无了之心，是名真了。"

一日，有罗汉来访，仰示之以圆相，罗汉作礼，腾空而去。后来又有一罗汉来，一度问答后，说："吾来东土礼文殊，遇底却是小释迦。"宗下遂称仰山曰"小释迦"。

仰山将入灭，示偈云："一二三四子，平目复仰祖。两口无一舌，此是吾宗旨。"当时一僧问云："法身还解说法否？"仰谓："我说不得，别有一人说得。"僧问："在什么处？"仰乃将床上枕头掷下而灭。

传承仰山的光涌禅师，一日回仰山，仰问："来作什么？"曰："礼拜和尚。"师问："还见老僧否？"涌说："见。"仰曰："老僧何似驴？"涌谓："和尚亦不似佛。"仰问："似什么？"涌谓："有所似，与驴何别！"仰山乃叹曰："吾以此验人二十年，无了彻者。汝所答者，凡圣情尽，善护持之！"

又有文喜禅师者，朝五台，路逢一老翁。喜问翁曰：

"此间佛法如何住持？"答曰："龙蛇混杂，凡圣交参。"问："多少众？"曰："前三三，后三三。"第二天起来，房子不见了，而见文殊骑狮子住在空中。喜后参仰山得悟，在仰山做饭头。一天，他从饭锅蒸气上又见文殊现身，便举饭笊来打，说："文殊自文殊，文喜自文喜，今日惑乱我不得了！"文殊说偈云："苦瓜连根苦，甜瓜彻蒂甜。修行三大劫，却被者僧嫌。"

沩山、仰山时，闻法得悟者虽多，但其宗只五传而止。沩山祐传仰山寂，寂传南塔涌，涌传资福宝，宝传资福邃。资福邃云："隔江见资福刹竿，便回去脚跟，也好与三十棒，岂况过江来！"门庭孤峻如此。

宋时，临济龙南与泐潭月及行伟禅师同夏积翠，一日谈"小释迦"仰山传，至韦尚书问仰山寂："公寻常如何接人？"寂曰："僧到，必问'来为何事？'曰'来亲近'；便问'见老僧否？'曰'见'，又曰：'老僧何似驴？'僧未有能答者。"韦曰："若言见，争奈驴；若言不见，今礼觐谁？所以难答。"寂曰："无人似尚书能辨析者。"泐潭月与行伟俱称善。南独曰："沩仰宗枝不到今者，病在此耳。"

二、临济之陡彻

现讲临济之陡彻。陡彻，就是陡然彻悟的意思。临济义玄禅师，是山东曹州人，少年出家，在黄檗那里从住很久。黄檗会下有一首座，知他是法器，要他向和尚问如何是佛法的大意，临济从之，三问三被打。因此，他不愿在黄蘖那里住了，于是黄蘖就指示他去参大愚禅师。临济见大愚，告以三问三被打的经过，并问："不知过在什么处？"愚道："黄蘖老婆心切，为汝彻困，犹觅过在。"临济听了，忽然大悟道："元来黄蘖佛法无多子！"这句话，深明宗门的要旨。所以大愚听了，便下座揪住问道："适来又道不会，如今却道原来黄蘖佛法无多子，你见个什么道理？速道，速道！"临济一句也不说，便向大愚胁下三拳，大愚推之曰："汝师黄蘖，非干我事。"于是临济遂回黄蘖，黄蘖问曰："大愚有何言说？"临济便将经过的情形告诉了黄蘖，黄蘖听了便说："大愚老汉，待见，痛与一顿！"临济曰："即今便与！"说了，便给黄蘖一耳光。黄蘖惊曰："这疯颠汉，却来捋虎须！"临济便喝。黄蘖乃唤侍者，带他去参堂。所以后来沩仰说："黄蘖得大机，临济得大用。"

有一次，临济在栽松树，黄蘖道："深山里栽许多树作么？"临济曰："一与后人作古记，二与山门作标榜。"说了，便将锄头在地上筑三下。黄蘖曰："虽然如是，子已吃吾棒了也。"临济又筑三下，口里还嘘了一嘘。黄蘖曰："吾道到汝，大兴于世。"

有一次，黄蘖在厨房里，问饭头："作什么？"饭头答道："拣僧众饭米。"黄蘖曰："一顿吃多少？"饭头曰："二石五。"临济在旁插言曰："莫太多么？"黄蘖曰："来日更吃一顿。"临济曰："说什么来日，即今便吃!"随即打黄蘗一掌。临济后来离开黄蘗时,黄蘗问他往那里去,他说:"不是河南,即河北去。"黄蘗便打,临济按住棒,就是一掌。蘗大声唤侍者道:"将百丈先师的禅板几案拿来!"临济令侍者:"把火来!"意思就是说用火把它烧掉。蘗连忙曰:"不然,子但将去,以后坐断天下人舌头在。"

他到凤林寺参凤林禅师,曾为一颂曰:"大道绝同,任向西东。石火莫及,电光罔通。"他后来到镇州建立临济寺,一日示众曰:"有时夺人不夺境,有时夺境不夺人,有时人境两俱夺,有时人境全不夺。"众中有克符上座问曰:"如何是夺人不夺境?"师曰:"煦日发生铺地锦,婴儿垂发白如丝。"符曰:"如何是夺境不夺人?"师曰:"王令已行天下遍,将军塞外绝尘烟。"符曰:"如何是人境两俱夺?"师曰:"并汾绝信,独处一方。"符曰:"如何是人境俱不夺?"师曰:"王登宝殿,野老讴歌。"此四句,就是说先空心未空境,次空境未空心,再次心境俱空,最后由俱空而到心境宛然。

临济宗最要的是三句、三玄、三要。有僧问师曰:"如何是真佛、真法、真道(道即僧,古时称僧人为道人)?乞师开示。"师曰:"佛者,心清净是;法者,心光明是;道者,处处无碍净光是。三即一,皆是空名而无实有。如真正行道人,念念心不间断。自达摩大师从西土来,只是觅个不受惑的人,后遇二祖,一言便了,始信从前错用功夫。山僧今日见处,与祖师无别。若第一句中荐得，堪与祖佛为师；若第二句中荐得，堪与人天为师；若第三句中荐得，自救不了。"僧问："如何是第一句？"师曰："三要印开朱点窄，未容拟议主宾分。"关于第一句，有人解为涅槃三德，但宗下以涅槃三德是佛果上的，尚非宗门下的祖师意。又问曰："如何是第二句？"师曰："妙解岂容无著问，沤和争负截流机。"僧曰："如何是第三句？"师曰："但看棚头弄傀儡，抽牵全借里头人。"师说毕，乃曰："大凡演唱宗乘，一句中须具三玄门，一玄门须具三要，有权有实，有照有用，汝等诸人作么生会？"

上文说的第二句，即般若方便双融的圆满教理，以此教理自悟悟他，故曰可以为人天师。第三句是指不能了达第一句和第二句，仅依别人传授之少许法门而修，自己毫无主宰抉择，故谓其如傀儡。

临济还有四种喝，所谓："有时一喝如金刚王宝剑，有时一喝如踞地狮子，有时一喝如探竿影草，有时一喝不作一喝用。"临济应机常用喝，故又称为"临济喝"。因为这样，于是他的弟子们也就学喝起来了。师一日谓众曰："汝等总学我喝，我今问汝：有一人从东堂出，一人从西堂出，两人齐喝一声，这里分得宾主么？汝且作么生分？若分不得，以后不得学老僧喝。"

一日上堂，东西两堂的首座相见，便同时一喝。有僧问师曰："还有宾主么？"师曰："宾主历然。"后召众曰："要会临济宾主句，问取堂中二首座。"因此，又说

第二章　中国佛学特质在禅

宾看主、主看宾，主看主、宾看宾四句。僧问克符曰：
"如何是宾中宾？"曰："倚门傍户犹如醉，出言吐气不
惭惶。"问："如何是宾中主？"曰："口念弥陀双拄杖，
目中瞳人不出头。"问："如何是主中宾？"曰："高提祖
印当机用，利物应知语带悲。"问："如何是主中主？"
曰："横按镆铘全正令，太平寰宇斩顽痴。"

又有四照用句示众："我有时先照后用，有时先用
后照，有时照用同时，有时照用不同时。"他说："先照
后用，有人在；先用后照，有法在；照用同时，驱耕夫
之牛，夺饥人之食，敲骨取髓，痛下针椎；照用不同时，
有问有答，立宾立主，合水和泥，应机接物。若是过量
人，向未举以前，捺起便行，犹较些子。"

临济说法，虽有上面种种的差别，但正宗只在第一
句的荐得，亦即所谓"黄檗佛法无多子"，也合乎沩山
所谓"单刀直入，则凡圣情尽，体露真常"。故临济又
有一次上堂示众曰："赤肉团上，有一无位真人，常向
汝等面门出入，未证据者看看。"当时有僧出问道："如
何是无位真人？"临济走下禅床，拖住他说："道！道！"
那僧拟议，临济推开说道："无位真人是甚么干屎橛！"
说毕，便回方丈去了。

他又常说到无依道人，如说："欲得生死去住自由，
即今识取说法听法历历明明的无依道人，无形无相，无
根无本，无住无处，活泼泼地。动与不动，是二种境，
还是无依道人用动用不动？"

临济将入灭时，对众说偈曰："沿流不止问如何，真照无边说似他。离相离名人不会，吹毛用了急须磨。"又曰："吾灭后，不得灭却吾正法眼藏。"弟子中有名三圣者出曰："怎敢灭却和尚正法眼藏！"师曰："以后有人问你，向他道什么？"圣便喝，师曰："谁知吾正法眼藏，向这瞎驴灭却！"说毕，便端坐而逝了。

临济下，有三圣然禅师、兴化奖师等。三圣后参德山，将欲展具作礼，德山谓："莫展炊巾，这里无残羹剩饭。"圣谓："有也无着处。"山便拉棒打，圣接棒，推之禅床上。山大笑，圣乃哭云："苍天！苍天！"山便休去。然后世传临济宗的子孙，都是出在兴化下。

兴化初参临济，虽得悟而时年尚幼，后从三圣、大觉二兄处悟彻。一日上堂云："若是作家战将，便请单刀直入，更莫如何若何。"旻德出，礼拜已，便喝，兴亦喝；旻又喝，兴亦又喝，旻乃作礼归众。兴谓："若是别人来，二十棒一棒也不饶，且饶旻德能一喝不作一喝用。"

兴化奖所传的南院颙禅师，一日上堂云："赤肉团上，壁立千仞。"有僧问："这话是否和尚说的？"颙答："是。"僧掀师禅床，颙谓："这瞎驴乱做！"僧拟议，颙打之赶出。

南院下是风穴沼禅师，一日颙问："南方人对于一棒作何商量？"沼答云："作奇特商量。"沼反问颙："和尚作何商量？"颙拉棒云："棒下无生忍，临机不见师。"

沼遂大悟。

风穴沼下有首山念，念下为汾阳昭，门下皆寥寥。昭下有石霜圆，圆下有黄龙南与杨岐会，至是遂兴盛，而有所谓黄龙派、杨岐派，合称五宗七派。然黄龙下不数传而息，故仍只临济宗。

杨岐下有白云端，端下有五祖演，演下有圆悟勤，勤下有大慧杲、虎丘隆。临济至大慧杲，乃又大盛。然杲下反而不数传而息，后世皆出虎丘隆下。

黄龙再传下弘觉范曰："临济七传而得石霜圆，圆之子，一为积翠南（即黄龙南），一为杨岐会。南之设施，如坐四达之衢，聚珍怪百物而鬻之，遗珠堕珥随所探焉。会乃如玉人之治璠玙，碔砆废矣，故其子孙皆光明照人，克世其家，碧落碑无赝本也。"所以杨岐下子孙传承无亏，并非偶然。

三、洞曹之回互

六祖下青原，五传而至洞山良价禅师。洞山是会稽人，姓俞氏。初参南泉，继参沩山，皆问："如何是无情说法？"最后参云岩禅师，依然问："无情说法，甚么人得闻？"岩谓："无情得闻。"又问："和尚闻否？"答谓："我若闻，汝即不得闻吾说法。"又问："何故不闻？"岩竖拂，问云："闻否？"价答："未闻。"岩曰："我说汝尚不闻，何况无情说！"又问："无情说法，有何典据？"答之云："汝岂不见《弥陀经》中，水鸟树林皆演法

音?"价遂有省,乃说偈云:"也大奇,也大奇,无情说
法不思议。若将耳听终难会,眼处闻声始得知。"久之
辞去,岩问:"何处去?"答云:"未卜所止。"曰:"早
晚回?"曰:"待和尚有住处即来。"曰:"一去难得相
见。"曰:"难得不相见。"又问岩:"百年后忽有人问:
'貌得师真否?'如何抵对?"岩答云:"向伊道:'只这
个是。'"价良久无对。岩乃云:"价阇黎承当个事,大
须详细。"价走后,心有余疑,途中过水睹影,乃大悟。
遂说偈云:"切忌从他觅,迢迢与我疏。我今独自往,处
处得逢渠。渠今正是我,我今不是渠。应须恁么会,方
契得如如。"

后住洞山,为云岩讳日营斋,有僧问云:"师于云
岩处得何指示?"洞山答云:"在彼不蒙指示。"曰:"何
用设斋?"曰:"争敢违他。"曰:"初见南泉,何嗣云
岩?"曰:"不重先师道德佛法,只重不为我说破。"曰:
"还肯他否?"曰:"半肯半不肯。"曰:"何不全肯?"
曰:"全肯即孤负先师。"

洞山唱五位君臣,又得曹山和之,遂成曹洞宗风。
《五位君臣颂》云:"正中偏,三更初夜月明前,莫怪相
逢不相识,隐隐犹怀旧日嫌。偏中正,失晓老婆逢古镜,
分明睹面别无真,休更迷头仍认影。正中来,无中有路
隔尘埃,但能不触当今讳,也胜前朝断舌才。兼中至,
两刃交锋不须避,好手犹如火里莲,宛然自有冲天志。
兼中到,不落有无谁敢和,人人尽欲出常流,折合还归

第二章　中国佛学特质在禅

炭里坐。"此五位君臣，皆出宗门悟证。若略为说明，则君即体，臣为用，正中来是体之直指，兼中至是体用双行，兼中到是体用俱寂。

洞山又立向、奉、功、共功、功功五种法门。人问："如何是向？"答云："吃饭时作么生？""如何是奉？"曰："背时作么生？""如何是功？"曰："放下镢头时作么生？""如何是共功？"曰："不得色。""如何是功功？"曰："不共。"

洞山又常常教人行鸟道，人问："如何是鸟道？"答云："不逢一人。"曰："如何行？"曰："直须足下无私。"曰："莫便是本来面目？"曰："汝何颠倒！"曰："学人甚么颠倒？"曰："认奴作郎。"曰："然则如何是本来面目？"曰："不行鸟道。"

曹山辞行，传宗镜三昧，又谓："末法人多乾慧，辨其真伪，有三渗漏：一、见渗漏，谓机不离位，堕在毒海。二、情渗漏，谓滞在向背，见处偏枯。三、语渗漏，谓究妙失宗，机昧始终。"

后来洞山病了，僧问："还有不病者否？"曰："有。"曰："不病者还看和尚否？"曰："老僧看他有分。"曰："如何看他？"曰："看时即不见有病。"洞山反问僧云："离此壳漏子，何处与吾见？"僧无对。乃示偈云："学者恒沙无一悟，遇者寻他舌头路。欲得亡形灭踪迹，努力殷勤空里步。"说此偈已，即寂。因众哀恋，又留七日而后逝。

曹山本寂禅师初参洞山，洞山问他叫什么名字，答云："本寂。""那个呢？"曰："不名本寂。"洞山许之。久之辞去，洞山问："何处去？"曰："不变异处去。"曰："不变异，岂有去？"曰："去亦不变异。"

后住洞山说法，讲五位君臣，谓君是正，臣是偏，臣向君是偏中正，君向臣是正中偏，君臣道合是兼带。人问："如何是君？"曰："妙德等寰宇，高明朗太虚。""如何是臣？"曰："灵机弘圣道，真智利群生。""如何是臣向君？"曰："不堕诸异趣，凝情望圣容。""如何是君向臣？"曰："妙容虽不动，光烛本无偏。""如何是君臣道合？"曰："混然无内外，含融上下平。"又谓："君臣只以偏正言之，不欲犯中，故臣称君不敢斥言，此吾法宗要。"此外还有五相颂、别杜顺法身颂、三种堕、五位王子等，皆是曹洞语要。

有一次陆亘问曹山："王有眷属否？"答云："四臣不昧。"曰："王居何位？"曰："玉殿苔生后。"僧问："如何是玉殿苔生？"答云："不居正位。"曰："八方来朝时如何？"曰："不受礼。"曰："何用来朝？"曰："违则斩。"曰："违是臣分上，君意如何？"曰："枢密不得旨。"曰："如此则功归臣相。"曰："还知君意么？"曰："外方不敢论。"曰："如是，如是。"又有僧问："子归就父，为甚父不顾？"答云："理合如是。"曰："父子之恩何在？"曰："始成父子之恩。"曰："如何是父子之恩？"曰："刀斧斫不开。"

第二章　中国佛学特质在禅

一日问僧云："如何是法身应物的应?"僧答云："如驴觑井。"曹山曰："道则惑煞道，只道得八成。"曰："师意如何?"曰："如井觑驴。"又作《四禁颂》云："莫行心处路，不挂本来衣。何须正恁么，切忌未生时。"宗门于此等话语，至是已落常套，故禁诫之，使勿堕于口头禅。

论理本应名洞曹宗，而说者皆曰曹洞宗者，大概由于曹山、洞山问答，遂成一家宗风；又因曹山下无传，传宗者是洞山下的道膺。

曹洞下继之者为洞山下云居膺，膺传同安丕，丕传全峰志，志下梁山观，观下太阳玄，皆甚孤寂。玄老恐失传，乃将霞洞法统托浮山远，远代为传之投子青，青传芙蓉楷，楷传丹霞淳，淳传真歇了与弘智觉，至是洞宗大盛。后曹洞宗时盛时衰，时有消长。

四、云门与法眼

云门、法眼起较迟，从临济洞山同时的德山而出。德山乃四川简州人，姓周氏。初是义学法师，善《金刚经》，著有《金刚疏抄》，时人称为"周金刚"。当时宗门盛唱湘赣，师家皆以"直指人心，见性成佛"为提唱，德山目为魔子，遂担其《金刚疏抄》往灭之。到湖南后，途遇一卖点心的老太婆，德山欲买点心，婆问所担何物，答以《金刚疏抄》。婆曰："我有一问:《金刚经》云'过去心不可得，现在心不可得，未来心不可得。'未审师欲点那个心?"山无对,遂辞去。初至龙潭,问答见前。有一晚上,德从龙潭方丈出,天大黑,龙潭将烛与之。山刚要去接,龙潭突然吹灭。山遂大悟,礼拜。龙潭问:"何所见?"山曰:"从今更不疑天下老和尚舌头。"次日,龙潭上堂曰:"个中有一棒打不回头,他时向孤峰顶上立吾道在。"山遂出《金刚疏抄》焚之,曰:"穷诸玄辩,若一毫置于太空;竭世枢机,似一滴投于巨海。"即辞去参沩山,不见而行。沩山曰:"此子向后呵佛骂祖去在。"后来他住德山说法,一日上堂云:"今夜不答问话,问话者三十棒。"一僧出拜,山便打。僧曰:"某甲未问话,因甚么打?"山问僧:"何处人?"曰:"新罗人。"曰:"未跨船时,便好与三十棒。"

一日临济来,德山装出倦状,云:"困了。"济曰:"说梦话作甚么?"德便打,济掀倒禅床,德乃休。雪峰问:"从上宗乘,学人有分否?"山便打一棒曰:"道甚么?"曰:"不会。"曰:"我宗无语句,实无一法与人。"峰遂有省。

一日上堂云:"我这里佛也无,法也无。达摩是个老臊胡,十地菩萨是担粪汉,等妙二觉是破戒凡夫,菩提涅槃是系驴橛,十二分教是点鬼簿、拭疮纸,佛是老胡矢橛。"这可说是极尽呵佛骂祖的能事了。

又示众云:"有言时骑虎头收虎尾,第一句下明宗旨;无言时觌露机锋,如同电拂。"

第二章　中国佛学特质在禅

德山门下有雪峰，而尤其特出者为岩头。雪峰、岩头在德山那里当饭头和典座，德山一日见午时将过（德山虽呵佛骂祖，但他很守法持戒），而尚未听到梆响，便持着钵来到斋堂门前。岩头见之，呵曰："钟未鸣，鼓未打，这老汉未明末后句在，持钵来作什么？"德山闻之，便低头归方丈，命侍者请岩至方丈，问道："汝不肯老僧那？"岩密启其意。第二天德山上堂说法，果与寻常不同，岩出抚掌大笑曰："且喜得堂头老汉会末后句。"后因值唐武宗灭佛，岩头在渡头作舟子，结果在兵荒马乱中被杀了。

雪峰先参洞山未悟，洞指示往参德山得悟，但悟未彻底。后与岩头赴洞山参方，中途阻雪，岩头只是睡，而雪峰常坐禅。一日，以手指胸，唤岩头曰："我这里未稳，不敢自慢。"头曰："若确实如此，将你所悟，一一道来。是的我与你证明，不是的我与你铲却。"师乃述其所见，岩头曰："汝未听说从门入者不是家珍吗？"师曰："如何才是？"头曰："要一一从自己胸襟流出，盖天盖地出。"雪峰言下大悟，便作礼连声道："师兄，今日始是鳌山成道。"雪峰本是福建泉州人，后回到福州开一道场，常住一千多人，禅风大振，沩山以后没有第二个。

雪峰门下为上首者，有玄沙师备宗一禅师。玄沙参雪峰问曰："如今大用去，师作么生？"雪峰以三木球抛出，玄沙作斫牌势，雪峰许曰："汝亲在灵山，方得如此。"沙曰:"也是自家事。"

有一次,雪峰说:"饭箩边饿死人,临河边渴死汉。"玄沙说:"饭箩里坐饿死,水浸里渴死。"云门曰:"通身是饭,通身是水?"此可见雪峰下,尤以云门为杰出。

云门,嘉兴人,俗姓张,幼年出家,学教学戒,均甚精进。先参百丈下的睦州道明禅师,道明见其来,便把门关闭了。云门敲了三天,道明才开门。云门见门开了,便闯进去,道明便将他擒住,命其:"速道!速道!"他惊疑间,道明喝:"秦时��砾锥!"便把他推出,又关上了门。但云门的脚被关住,当他感到疼痛,忽有所悟。道明乃指往参雪峰。他一与雪峰见面,雪峰便问:"你因甚么得到此步田地?"师乃低头礼拜,住那里侍奉雪峰。后又遍参归宗、天童、鹅湖等诸大善知识,过曹溪礼六祖塔。便道至灵树禅师处,被请为首座,后来又接任方丈。一日有僧问:"如何是清净法身?"师曰:"花药栏。"问曰:"就恁么去时如何?"曰:"金毛狮子。"问:"如何是一代时教?"曰:"对一说。"问:"不是目前机,亦非目前事,如何?"曰:"倒一说。"问:"如何是尘尘三?"曰:"钵里饭,桶里水。"问:"如何是云门一句?"曰:"腊月二十五。"问:"如何是法身?"曰:"六不收。"问:"如何是超佛越祖之谈?"曰:"胡饼。""如何是佛?"曰:"干矢橛。"问:"如何是佛出身处?"曰:"东山水上行。"问:"不起一念,还有过也无?"曰:"须弥山。"问:"又如何是透法身句?"曰:"北斗里藏身。"这些问答,当时一些学者,都摸不着头脑。一日上堂说:"函盖乾坤,目机铢两,不涉世缘,作么生承当?"时座下无人对答。乃自曰:"一镞破三关。"他常顾视学人曰:"鉴!"待人家将要对答时,他又叹曰:"咦!"因此传为云门的"顾鉴咦"。后有人将顾字删掉,称之曰"鉴咦"。颂曰:"相见不扬眉,君东我亦西。红霞穿落月,白日绕须弥。"他于乾和七年示寂,过了十七年开塔,颜貌如生,须发犹长。时广主迎往广州供养过。宋苏澥序《云门语录》云:"擒纵舒卷,纵横变化。放开江海,鱼龙得游泳之方;把断乾坤,鬼神无行走之路。草木亦当稽首,土石为放光明。本分钳锤,金声玉振;峥嵘世界,瓦解冰消。"云门之宗,大概如此。

云门偃以卜得法殊众,以香林远为首。远以下智门祚,雪窦显,天衣怀,法云本,递代相传,云门禅风大盛。但几代以后,就渐渐地衰灭了。

雪峰下得法者五十六人。玄沙和雪峰本同师剃度,因《楞严经》开悟,乃佐雪峰化导,几有仰山在沩山,岩头在德山处之概。因此又成为雪峰之法子,再传而出法眼。一日,雪峰问玄沙道:"阿那个是备头陀?"沙曰:"终不敢诳人。"曰:"何不遍参去?"答曰:"达摩不来东土,二祖不往西天。"雪峰肯之。一日,雪峰曰:"要明此事,如明镜当台,胡来胡现,汉来汉现。"

玄沙曰:"忽遇明镜破时如何?"曰:"胡汉俱隐。"沙曰:"老汉脚跟未点地。"后住福州玄沙山,于亡僧曰:"亡僧面前,正是触目菩提,万里神光顶后相,若人颛得不妨出脱阴界,脱汝髑髅前意想。"有偈曰:"万里神光顶后相,没顶光时何处望?事已成,意已休,此个元来触处周。智者撩着便提起,莫待须臾失却头。"他又病学者失宗,乃示纲要三句,一曰"言通大道不堕平怀",二曰"转位投机杀活自在",三曰"全用不用全生不生"。

在他的门下,有罗汉桂琛禅师为首。一日玄沙上堂道:"聋盲哑人来,如何接?"桂曰:"学人现有眼、耳、鼻,和尚如何接?"沙曰:"惭愧!"便回方丈。

桂琛一日上堂曰:"宗门玄沙,为当只恁么也?为当别有奇特?若有,且举个什么;若无,去不可将三个字便当却宗乘。"时有僧曰:"如何是罗汉一句?"师曰:"我若向汝道,便成两句也。"曰:"不会的人来,师还接否?"师曰:"谁是不会者?"曰:"适来道了矣。"师曰:"莫自屈。"曰:"八字不成,以字不是时如何?"师曰:"汝实不会。"曰:"学人实不会。"师曰:"看取下头注脚。"

清凉文益,即法眼神师,幼年出家,遍参善知识。后遇桂琛,琛问:"何往?"曰:"行脚去。"问:"行脚事作么生?"曰:"不知。"琛曰:"不知最亲切。"因问答相契,乃住下,并得法。为后唐李主所崇,住南京说

法。一日，子方自长庆来，师问："作么生是万象之中独
露身？"子方举拂子，问曰："怎么会，又争得？"曰：
"师意如何？"师曰："唤什么作万象？"曰："古人不拨
万象。"师曰："万象之中独露身，说什么拨不拨！"子
方豁然开悟。后迁住清凉山，一日上堂说："出家人但
随时及节，寒即寒，热即热，欲知佛性义，当观时节因
缘。"又有僧慧超问："如何是佛？"师曰："汝即慧超。"

　　一日，师问讲《百法明门论》的法师云："百法是
体用双陈，明门是能所兼举，讲主是能，法座是所，作
么生说兼举？"

　　在法眼的法语中，有《理极忘情颂》："理极忘情
谓，如何有喻齐？到头霜夜月，任运落前溪。果熟嫌猿
重，山上似路迷。举头残照在，元是住溪西。"又有
《三界唯心颂》谓："三界唯心，万法唯识。唯识唯心，
耳声目色。色不到耳，声何触眼。眼色耳声，万法成办。
万法非缘，岂观如幻？大地山河，谁坚谁变？"又有
《华严六相颂》谓："华严六相义，同中还有异。异若异
于同，全非诸佛意。诸佛意总别，何曾有同异。男子身
中入定时，女子身中不留意。不留意，绝名字，万象明
明无理事。"

　　师于金陵三坐道场，诸方咸遵风化。示寂之时，李
唐国主亲加礼问，谥大法眼，遂名法眼宗。法嗣六十三
人，韶国师为上首。

　　韶国师，浙江处州人，姓陈氏，出家遍参五十余知

识，皆不契。后参法眼于净慧寺，闻有僧问法眼："如何是曹溪一滴水？"法眼云："是曹溪一滴水。"遂大悟。后住天台说颂曰："通玄峰顶，不是人间。心外无法，满目青山。"法眼闻之曰："即此一颂，可起吾宗。"

韶国师常以"闻闻，闻不闻，不闻闻，不闻不闻"四句，料简学人。

韶国师下出永明寿禅师，寿师初住雪窦，后迁至永明。有僧问："如何是永明妙旨？"师曰："更添香著。"僧曰："谢师指示。"师曰："且喜没交涉。"并示偈云："欲识永明旨，门前一湖水。日照光明生，风来波浪起。"又作《宗镜录》，举一心为宗，照万法如镜，且谓："夫禅宗者，真唯识量，才入信心，便登祖位。"

越祖分灯之五宗，大概皆起于唐武灭法之后。唯沩山在唐武灭法前，已为全国最盛之千五百乘道场。不过那时之禅宗，大抵皆行于荒山僻地，而又不重律仪经法，故魏武、周武灭法时，朝中起来抗争的高僧很多；而唐武灭法时，仅有一知玄法师抗争。当沩山闻到灭法令下，居众便星散，即沩山本人亦以巾裹头而逃，惟恐不速。至宣宗复教时，沩山仍服俗衣，因裴休力劝，始复法衣。沩山以外的诸宗，则皆起于唐武之后。时唐室已微，藩镇各霸一方，至五代更是四分五裂。在这种环境之下，所以复兴之禅宗，也成了各据一方，各自称尊的局势。沩山发展至此，已达极点。这种情形，与西藏朗达摩灭法后兴起之无上瑜伽密很相近。盖无上瑜伽以后之密宗，无论如何流变，皆不出于无上瑜伽。此正如越祖分灯后之禅宗，随其如何演化，皆不出于五家。故宋明教评云："正宗至大鉴，传既广，而学者遂各务其师之说，天下如是异焉。竞自为家，故有沩仰云者，有曹洞云者，有临济云者，有云门云者，有法眼云者，若此不可悉数。而云门、法眼、临济三家之徒，于今犹盛。沩仰已息，而曹洞者仅存，绵绵然若大旱之引孤泉。然其盛衰者，岂法有强弱也，盖后世相承，得人与不得人耳。书不云乎：'苟非其人，道不虚行。'"至于五家宗风，宋时有人问五祖山法演禅师云："如何是临济下事？"演答曰："五逆闻雷（显其惊绝）。"问："如何是云门下事？"曰："红旗闪烁（显其微露）。""如何是沩仰下事？"曰："断碑横古路（显其深奥）。""如何是曹洞下事？"曰："驰书不到家（显其回互）。""如何是法眼下事？"曰："巡人犯夜（显其隐微）。"据此答辞，可略窥五家宗风之异。

第六节　宋元明清禅

今讲"宋元明清禅"。宋、元、明、清，是四个朝代。前讲之"越祖分灯禅"，沩仰宗在唐武宗灭法前兴起，传至四五代即灭于唐末，所以说宋前沩仰已熄。宋前之其余四宗中，临济、曹洞尚兴盛，而宋初最兴的是云门、法眼，尤以法眼为最。但法眼之兴，为时亦促，只三四传也就不传了。所以北宋百余年，云门为盛。宋初云门宗，如大觉琏国师、雪窦山明觉国师等皆是。不过到北宋末叶，云门亦即由衰而灭了。既法眼灭于宋初，云门灭于北宋，故从北宋之末至南宋以及元、明、清绵延不绝的，不外临济与曹洞两宗。在两宗相传流衍之下，南宋初天童宏智觉盛弘曹洞，元、明有万松秀禅师继之。宋末元初，有个最著名的宰相，叫做耶律楚材，依中国姓名刘楚材。他对中国民族所施的恩惠很大，因当时元帝欲尽灭汉人，使中国成为游牧草地，全赖刘楚材之力方得幸免，不然中国人已无噍类矣。刘楚材是个深契禅旨的真正佛教徒，出于万松门下。他一面用中国之儒术化民，一面自己深入佛法之修证，故成为中国历史上最有名的宰相，他在未做大官以前，即参万松秀禅师，屏绝俗务，不问寒暑，天天参禅，甚至废寝忘餐，为佛门弟子，自号湛然居士。他自叙其参学万松秀之际："机锋罔测，变化无穷。巍巍然若万仞峰，莫可攀仰；滔滔然若万顷波，莫能涯际。瞻之在前，忽焉在后。回视平昔所学，皆块砾耳。"故在元初，曹洞颇盛。当明朝末叶，曹洞之复兴，也有江西寿昌寺无明慧经崛起，其门下出人甚多，如博山无异，永觉元贤皆有力。永觉贤，即开始以福州鼓山为曹洞派的。江西、福建、广东及普陀后寺等，迄今都是曹洞宗。

临济宗盛于南北宋间，前面讲过大慧杲与虎丘隆。

第二章　中国佛学特质在禅

大慧杲虽盛行一时，而其后都出于虎丘隆相传之下。至元初，有高峰妙，中峰本，明初有壁峰金等，为临济巨子，尤以中峰为杰出。元末明初，壁峰金初在五台，后为明太祖请入南京，大弘临济。明中叶衰落，至明末万历年间，龙池幻有禅师门下，出天童悟、磬山修，此二人都是龙池所披剃，大兴临济于明清之际。故清初禅法所兴，大都为天童、磬山以下之人。天童之门人，如四川之破山明，湖南之想山海，差不多一人即兴了一省的佛法禅林。又如清初之玉琳国师，今金山、高旻、天宁、天目，皆出于磬山门下。此为宋、元、明、清临济相传之概况。兹分十小段讲之。

一、公案之拈颂

公案之拈唱，乃五宗分灯后继起者提倡宗乘之一种法门。有所谓拈古、颂古、出古等风尚。禅宗著述部中之颂古百则，颂古联珠，圆悟、万松颂古评唱等，今存续藏者很多。《颂古直注序》上说："禅宗颂古有四家焉，天童、雪窦、投子、丹霞是已，而窦嗣响于汾阳。"天童觉，投子青，丹霞淳，皆出于曹洞；雪窦显出于云门，汾阳昭出于临济，这几位都是拈古、颂古的。不过颂古必先拈古，拈古之后方有颂古。拈古最早的，当推云门禅师，他最初即出拈"释迦初降生，一手指天，一手指地，周行七步，目顾四方云：天上天下，唯吾独尊"。接着说："老僧当时若见，一棒打煞与狗子吃，贵图天下太平。"此即先拈出一段古事，言外参异，不但一棒打死，而且还要与狗子吃，其语句是何等刻毒，无怪乎能震动当时参学者的人心不安。后瑯琊觉乃着语云："云门可谓将此深心奉尘刹，是则名为报佛恩。"古德对此着语者甚多。颂之者，如洞山聪、佛印元等，不下数十家，则拈古可云倡自云门矣。

汾阳昭颂临济三玄、三要等，开颂古之风。如颂二祖侍初得悟云："九年面壁待当机，立雪齐腰未展眉。恭敬愿安心地决，觅心无得始无疑。"此拈二祖初祖之古事，再加以颂唱，遂成为颂古。然颂古尤以雪窦显、天童觉为最，因其颂文最为特出。从而评唱者，则推昭觉圆悟勤与万松秀，兹引二则，以见一斑。

圆悟所评唱者为雪窦之拈颂，万松秀所评唱者为天童之拈颂。雪窦拈梁武帝问达摩："如何是圣谛第一义？"达摩云："廓然无圣。"帝曰："对朕者谁？"摩曰："不识。"帝不契，摩遂渡江至魏。志公云："陛下还识此人否？乃是观音大士来传佛心印。"帝遣使去请，志公曰："阖国人去，他亦不回。"颂曰："圣谛廓然，何当辨物。对朕者谁，还云不识。因兹暗渡江，岂免去荆棘。阖国人追不再来，千古万古空相忆。休相忆，清风两地有何极！"顾左右云："这里还有禅师么？唤来与老僧洗脚！"末后一句，意是显超佛越祖之禅的。圆悟本此，加以评唱云："雪窦一似善舞太阿剑的，向虚空盘薄，自然不犯锋铓。若是无这般手段，才拈着便伤锋犯手。开头道'圣谛廓然，何当辨物'，不妨奇特，毕竟作么生辨的。直饶铁眼铜睛，也摸索不到。所以云门道：'如击石火，如闪电光'，等你作计较，鹞子过新罗矣。"他所评很长，现在不能尽举，其最后云："他不怕人执在这里，再加方便，高声云：'这里还有祖师么？'自云：'有雪窦到这里，不妨为人赤心片片'；又有云'唤来与老僧洗脚'，太煞减人威光，当时也好与本分手脚。"圆悟此种评唱既多，其座下弟子皆能仿学而应付如流，大慧杲呵为一种禅病。然圆悟评唱以，令契悟为则，故不可习为口头滑利。

　　天童曾拈世尊一日升座，文殊白椎云："谛观法王法，法王法如是。"世尊便下座。颂曰："一段真风见也么，绵绵化母理机梭。织成古锦合春象，无奈东君泄漏何！"万松秀评云："天童'一段真风见也么'，为复世尊升座处是一段真风？天童举颂处是一段真风？万松请益处是一段真风？怎么却成三段也！如何是一段真风？况诸人各有分也。"这是评其第一句的，文长得很。其最后云："文殊也与折倒，却道'无奈东君泄漏何'。文殊白椎世尊便下座，乃至迦叶白槌便现百千万个文殊，一等是怎么时节，为甚收放不同？你道那个是东君泄漏处？殷勤为解丁香结，放出枝头白在春。"此为万松评天童之拈颂者，如上"拈颂评"，亦成宋以后宗门下之提示与参究之一种法门。

二、话头之疑参

从参话头言，禅宗彻头彻尾就是一个大话头。如梁武帝语达摩曰："对朕者谁?"这一"谁"字，便是"参谁"之祖。当时直逼得达摩答云"不识"，潜去少林面壁九年。而达摩对慧可曰："将心来，与汝安。"慧能对慧明曰："不思善，不思恶，正与么时，那个是明上座本来面目?"黄蘗曰："大唐国里无禅师，不是无禅，只是无师。"这岂不都是一个大话头? 不过成为后来参话的模范的，还要推沩山下的香严罢了。沩山告香严闲："将汝学得记得者的一概不谈，如何是父母未生前的本来面目?"逼得智闲去香严寺，一个人苦参数年，始由大疑深疑，而获得大悟深悟。此即是参话头的第一个模范。那时不过还没有普遍提倡，而学者亦未专门以参话头为参禅。至大慧杲，始力提倡参话头，所参"狗子有佛性否? 赵州曰无"，及"手拈竹蓖，唤竹蓖则触，不唤竹蓖则背，如何始得"的话头，遂成为后来专参话头之参法。此后临济下的高峰妙，中峰本等，已从参话头得悟，亦专教人参话头。如中峰参高峰时，高峰问："汝日间作得主么?"答："作得主。"又问："梦中作得主么?"答："作得主。"又问："睡到无梦无想时，主在何处?"中峰不能答，乃力参数年，始得开悟。故大慧、中峰之后，参话头即大流行了。而在元、明间，大抵参"万法归一，一归何处"。明季天琦瑞禅师，提倡参

"谁"字，故有曰："但向二六时中，一一处回光返照，看是阿谁？不得执定只在一处，须是一切处。起大疑情，将高就下，将错就错，一丝一毛，毋令放过。行时便看行的是谁，住时便看住的是谁，坐时便看坐的是谁，卧时便看卧的是谁；乃至你道不会，只看不会的是谁，现今疑虑，看这疑虑的是谁。如是看来看去，看到豁然爆地一声，方知非假他求。"天琦禅师倡参"谁"字话头，当时普遍地蔚成风尚。

　　明末清初莲池之后，净土宗的念佛之风大盛，行住坐卧皆不离一句"阿弥陀佛"，故入清则又以参"念佛是谁"为最普遍了。如至各处寺院里，皆可见到贴着"念佛是谁"的条子。有人以为参话头是临济禅，而曹洞禅则惟默照，实则非然。前说过禅宗始终是参话头，不能以力倡者多是临济宗人，便谓曹洞宗不参话头。曹洞宗之大彻大悟者，亦未始非由参话头而成。比如明时振兴曹洞宗之无明经禅师，亦从力参"大好山"话头三年乃悟净。

三、禅净之合修

　　禅净合修，远在安般禅已有渊源，不过达摩、慧可来后，久成隔绝，至于永明延寿始大为提倡。因为达摩传"自心是佛"，烦恼妄想若息，当下即如如佛，不立文字之顿悟禅旨。如曹溪说法，皆不认有西方净土。此外，不但禅净隔绝，而禅教之分，亦莫不然。但至永明寿禅师，提倡禅净合修，他不但是禅宗的大祖师，亦博精三藏，尤以禅净合修极力注重。他以数万声佛为每日常课，住杭州南屏山顶，山下闻其念佛之声，好似天乐鸣空。这种修行风靡一时，学人皆遵顺以行。当时高丽派二十僧徒来从永明学，分传为高丽顿宗。然法眼宗自永明之后，在中国一传即绝，而成净土。他作有《万善同归集》，回向极乐；并流传"有禅有净土，犹如带角虎"之净土四料拣偈。永明禅师后，继起禅净双修者甚多。楚石琦禅师有《西斋净土诗》，他是临济宗下的大宗师。中峰本禅师有《净土忏仪》，他对"禅讲律净密"皆有调和；中峰所倡，为明清后之一般所尚。彼重禅净双修之《净土忏》，辞甚渊美。还有天如则禅师作有《净土或问》，亦明悟禅修净。命终时，有人问他末后一着，答："西方去。"又问："难道东方没有佛？"他掷枕而寂。又明末憨山德清禅师，亦多念佛开示，并在庐山专修净业，亦系由禅而净者。专倡净土之莲池，也是由禅而净。在当时居士中，如袁中郎，乃至清时之罗有高、汪大绅，以及杨仁山居士等，皆承其风，今不具说。而成就最高得受大用者，当推红螺山彻悟禅师。他的语录对禅净一贯，卓特独到。不过红螺山后来成为天台教念佛法门，如最近的印光法师，即继红螺而起。

四、宗教之和会

宗谓宗门，教即教下，非近由西洋翻来之"宗教"

第二章　中国佛学特质在禅

一名辞也。以起初通教西修禅，本是一致的，不过达摩后慧可等始为分开了。然慧可传《楞伽》，弘忍、慧能亦皆诵《金刚经》以印顿悟，故仍不离教。不过，《楞伽》所分之宗通、说通，实即为宗门、教下之分的滥觞。如《楞伽》云："大慧！宗通者，谓缘自得胜进相，远离言说文字妄想，趣无漏界，自觉地自相，远离一切虚妄觉想，降伏一切外道众魔，自觉趣光明辉发，是名宗通相。云何说通相？谓说九部种种教法，离异不异有无等相，以巧方便随顺众生如应而说，令得度脱，是名说通相。"又云："大慧！彼诸痴人作如是言：义如言说，义说无异，所以者何？谓义无身，故言说外更无馀义，惟止言说。大慧！如来不说随文字相，法离文字，故佛菩萨不说一字，不答一字；但为欲饶益众生，亦非不说教法，如为愚夫以指物，愚夫执指，不得实义。"此即说明宗通、说通之义。在《楞伽》之意，即以自觉智证为宗，为他说法为教。根据这点，即为后来分宗与教之焦点，如以佛法言，实不分所谓宗之与教。达摩来以专传亲证心法名宗门，惟以亲证为准则，以心印心，不立文字，始成教外别传之顿宗。若不专传证法，虽曰无宗门可也。

宗与教之分，既以《楞伽》为根据，而达摩宗门禅之特点，即在专提宗通，否则即不能成其为宗门禅了。前已说过，慧可高唱教外别传，宗与教乃对峙，然曹溪、慧忠、大珠等之所说，未尝不融会经论妙义。而分后再来和会者，当推圭峰，但其《禅源论》只可通于六祖以前，六祖后超佛越祖便非所及。故分宗之极再和会教义者，则从法眼开始。法眼颂六相，既近《华严》；德韶禅师住天台山国清寺，传是智者大师的后身，而天台教义之能重兴，尤赖德韶之力。至于永明延寿，更是把宗下教下大为和会。他之《宗镜录》，会台、贤、慈恩三家经论教法，宗归一心，遂成禅宗以来未有之巨著。他又精通唯识义，如云："夫禅宗者，真唯识量，但入信心，便登祖位。"故能融贯禅教者，尤以永明为最。

北宋之明教嵩、洪觉范、大慧杲等，皆能引经教之精义而发挥禅旨，又如真净文亦作《法界三观颂》等。此诸德均或引教属宗，或伸宗融教，极尽教禅配合之妙。迨明之紫柏、憨山，皆精研教义，加以注释，所发挥更多了。明季居士中，如曾凤仪、钱谦益等，亦以禅发挥教义，曾作有多部宗通，如《楞伽宗通》即是其一。清雍正帝根据他的自叙，亦由禅悟入，最崇拜永明延寿禅师之伟业，师永明集《涅槃经》等，成《经海一滴》，亦曾致力教禅和会。以上乃宋、元、明、清来宗教和会之概况。实际上也只是或引教通宗，或以宗融教，引教通宗则近于慧忠等，以宗融教则近于永明等；虽已难能可贵，然未能基教律而建宗乘，却是最可惜的。永明时教义衰微，虽能以禅恢教，而雍正绍其风，但均未能如西藏之宗喀巴派，在菩提道次显教上更安密宗，修学五部教律，于三士道次第为基，上士道之上稳建密宗。中

第二章　中国佛学特质在禅

国占时虽能会教明禅，然未能从教律之次第上，而稳建禅宗，致末流颓败，一代不如一代也。宗喀巴以教律而建密宗，密宗犹如一个花盆，而教律则如一个花架，以其花架坚牢，故花盆高显。我以为若非宗喀巴之教义戒律上重建西藏密宗，则其密宗当反不如今日之禅林也。所以从这种关系上看来，当时虽有能融会禅教者，但惜无有次第之建立。考之古德，亦不无能基教律以建禅宗者，如永明寿便是已能严戒律精教义而建禅宗者，然其所以未能如是者，以碍于时节因缘耳。因永明之世，云门宗等方盛兴，且时主各据一方，而易分道扬镳，故永明未能为禅宗奠下万世巨摇之基石。

又如明末之灵峰蕅益，虽亦能为此，不过他似乎还看不起当时一般禅者，故不置身禅门，而栖心台教。自居如是，所以当时之禅者对之亦不倾诚，自更不能以教建宗。然此种教上之宗之建立，仍必教与宗分，不过以教义戒律为基址，而高置禅宗于上也。再就帝王方面，这也皆有可能者。第一是明太祖，他对宗教颇通达，而又很想振兴佛教，他分佛刹为"禅、讲、律、净、教"五门，禅居于首，教即是密，亦不无层次。惜古时无大彻大用之有力高僧，故卒未能有系统的组织建立。第二是清世宗，雍正通宗亦明教，曾发愿十年治国，十年兴教。就其行事言，均极确当。惜他十年后正开始宏宗演教，逾年即死。且其时亦无高僧，遂亦无补于衰腐。

五、空默之观照

"空默之观照"，亦是宋元来的禅宗一派。大抵似牛头融未见四祖前之类，在禅宗下大抵认为不彻底。所以北宋真净文禅师辟此禅法云："宗下事参须实参，悟须实悟，若纤毫不尽，总落魔界。岂不见古人道：'平地上死人无数，过得荆棘林是好手。'如今多是得个身心寂灭，前后际断，一念万年去，休去歇去，似古庙香炉去，冷湫湫地去，便为究竟。殊不知却被胜妙境界障蔽自己，正知见不得现前，神通光明不得发舒。或执一切平常心是道，以为极则，天是天，地是地，山是山，水是水，僧是僧，俗是俗，大尽三十日，小尽二十九，依草附木，不知不觉一向迷将去。"此其所辟，固占曹洞宗一分，实指同出黄龙下之东林总净派。南宋初，大慧杲师对于这种禅法，更是嫉恶如仇，故云："士大夫多是掉举，而今诸方有一般默照邪禅，见士大夫为尘劳所障，方寸不宁帖，便教他寒灰枯木去，一条白练去，冷湫湫地去。将这个休歇人，你道还休歇得么？殊不知这猢狲子不死，如何休歇得来！来为先锋去为殿后底不死，如何休歇得！此风往福建路极盛，妙喜绍兴初入闽住庵时，便力掩之，谓之断佛慧命，千佛出世不通忏悔！"又答曾天游云："今时有一种剃头外道，自眼不明，只管教人死獦狚地休去歇去。若如此休歇，到千佛出世，也休歇不得，转使心头迷闷耳。又教人随缘管带，忘情默照，照来照去，带来带去，转加迷闷，无有了期。又教人歇到木石相似，不是冥然无知？又教人随缘照顾，莫教人恶觉现前，又教人旷放自在，莫管生心动念，皆瞎眼宗师错指示人！"

在文、杲二师痛加呵责情形上看来，可知禅宗确有不少修这种"空默观照"的不彻底的禅法者。或谓此系临济宗指责曹洞宗者，则不尽然。以曹洞宗固多穷究力参而彻悟者，而临济宗之从参话头入者，亦仍多参到风吹不入、雨打不湿成一片处，认为大休歇地，从此休歇地，或专以提提话头杜绝妄想为事者。而乾嘉后，则并此"空默观照"有些相应的，亦不可多得矣。

六、语录之纂研

禅宗既不依经论，所以参学者全靠于帅家语句之开示，与行动之指点。宗师门徒集录其师之言行，是即谓之语录。故语录非仅录其师之语，亦且纪其师之行也。六祖之前，集录的很少，自六祖之所谓《法宝坛经》出世后，遂大开集录语录之风。所以六祖以下，各家多有语录。将六祖以下之语录集之一处，当不下数千卷，几可另立一禅藏。较之密宗咒轨之禁咒藏，当不或少。

除各家个别之语录外，还有统贯性之语录。此统贯性之语录，最早者当为《宝林传》，此书宋初虽有，惜久已不传。然其中可以采录者，大部已采入于《景德传灯录》。所以除《宝林传》外，要算《景德传灯录》最早。《景德传灯录》系宋神宗年间所集出，后四十余年，有明教嵩的《传法正宗记》。次后,北宋百年间,有弘觉范之《智证传》,清初之三峰派,曾专提此书,以坚宗风。《景德传灯录》记至永明即止,故至南宋又有《续传灯录》,然《续传灯录》亦仅记到南宋之大慧杲即止。之后,又有《五灯会元》等,则一直记到明清间者。此外还有《古尊宿语录》,与大慧杲的《正法眼藏》。前者记诸古德之语句,后者则随意而谈,不依次序。另还有《宗门统要》与《续宗门统要》。而语录之编纂与研究,则始备于瞿幻寄的《指月录》,然《指月录》亦仅至大慧杲即止。清时有聂乐读之《续指月录》,乃记至康熙十八年间。此外还有祥符荫的《宗统编年记》,编至康熙三十年间。不过此书注重宗派传承之年代,于诸古德与旁歧之言行,每多不录。所以语录纂研之较完备者,还要算是《指月录》及《续指月录》。到雍正时,虽尚有《御选语录》,然仅选录数十人而已,故亦不如《指月录》之为统贯性。

语录纂研之要,在于钻研古锥之语句。到钻研不通处,即疑而参之,则即成参话头。故纂研语录之要,在通不过处而力究之。

纂研语录之总要,无过于三关句。此三关句,古德所垂示的殆非一种。且如黄龙南之三句,黄龙见人即伸手问云:"我手何如佛手?"假如你答了他这一问,他又伸出脚问云:"我脚何如驴脚?"接着又问:"阿那个是上座生缘?"又如兜率悦之三句云:"拨草瞻风,只图见性，即今上人性在甚么处？"这是第一句。第二句云：
"识得自性方脱生死，眼光落地时怎么生脱？"第三句
云："晓得生死便知去处，四大分离，向甚么处去？"三
关句固不止此，不过这两种，乃是宗门所特重而常提者。
但是真明白的要算是雍正所说的，雍正在《御选语录
序》里说："学人初登解脱之门，乍释业系之苦，觉山
河大地，十方虚空，并皆销陨，不为从上古锥舌头之所
瞒。……彻底清净，不挂一丝，名前后际断者。"这是破
本参的头一关。再进一步，即为"破本参后，乃知山者
山，河者河，大地者大地，十方虚空者……地水火风
者……乃至无明者……烦恼者……色身香味触法者……
尽是本分，皆是菩提。"这是破本参后即见"无一物非
法身，无一物非自己"，全此即是破重关的"大死大活"
者。第三是"透重关后，家舍即在途中，途中不离家舍。
明头也合，暗头也合，寂即是照，照即是寂。行斯住斯，
体斯用斯，空斯有斯，古斯今斯。无生故长生，无灭故
不灭。……踏末后牢关。"又云："虽云透三关，而实无
透者，不过如来如是，我亦如是。从兹修无修，证无证，
妙觉普明，圆照法界。"在一般的修证经历上，可以说
有此三关，如上上根利智，则一悟悟彻，亦无三关之阶
次。不过后来宗门普遍提倡，则参禅者不必皆上上机，
故三关遂为旨要。

　　此三关义，据《楞严经》看，佛与阿难之问答，先
云心在何处，又问心是什么，此心在何处与心是什么，

即是话头的参究。三卷末阿难大悟，遂"返观自身，如湛巨海漂一浮沤"，并赞佛云："销我亿劫颠倒想，不历僧祇获法身。"这就是破本参的境界。到富楼那与佛问答时，阿难又因"多闻习气"而起疑问，佛遂因而示圆通门。本来大力者无须此第二段，第未能乘悟圆彻者，故不得不修圆通而对治"微细惑"。此即所谓"那边悟得，这边修证"，因之便有所谓"顿悟渐修"之说。选观音从耳根获圆通二种殊胜，这就达破重关的境界。其后由五十五位之真菩提路而到"圆满菩提，归无所得"，即是破了末后牢关。不过禅宗尤重在破本参，因为不破本参，则根本谈不上后二关。然破本参而不知有重关须破，则易落于天然外道；破重关而不知透末后牢关，亦易安于小乘涅槃。所以必须透过三关，始可真实达到佛祖的境地。从语录之纂集而研究者，不可不知此三关之义。今之所讲，亦略同语录之纂研也。

七、坐跑之兼运

修禅之法，有所谓常行三昧，常坐三昧，半行半坐三昧。而般舟三昧，就是常行三昧，古人修此法者很多。南岳慧思禅师，尤推重修此法门，尝谓"如有十人修般舟三昧，吾即愿护持而不入灭"。常坐三昧，则通常坐禅都是。半坐半行三昧，可说是现在禅林的一种禅法，现在一般的禅堂（古名僧堂），大抵皆是半坐半行的。这种行法，倡始于何时不明。不过我在日本曾参观过曹

第二章　中国佛学特质在禅

洞宗的永平寺，这个寺的建筑法，是仿照于宋时天童寺的，完全是古僧堂制。在他的僧堂里，不设床铺，只有一个大板座，这个板座，白天做坐位，晚上做床铺。他们是面向壁坐的，这是遵照达摩面壁之遗制。卧时则头向外脚向里。堂中亦无跑的设备，坐疲倦了，即拿着锡杖出外经行。这大概是宋时的制度，中国早不行了。现在中国这种坐跑兼运的制度，最早不过在明末清初间。明时有练魔场，魔就是昏睡，练魔场就是对治昏睡的场所。清初又有禅门锻炼说，此为取大慧杲之法而以坐行调身心者。后来合并练魔场为禅堂而锻炼，遂有半坐半跑之行法。这种半跑半坐之成为定制的，据宗下传说，系始于雍正。雍正最佩服玉琳国师，所以他以帝王之威，取消汉月藏之三峰派，而承续玉琳之宗派。他当时求玉琳之嫡嗣，众推举高旻寺天慧澈禅师以应。及澈见雍正，雍正问云："你是国师嫡嗣，还识国师宗旨否？"澈答云："我有癫痫头在（盖澈是个癫痫头）。"雍正乃以剑拟之云："割却你癫痫头时又如何？"在这种威逼之下，澈惊不能答。雍正谓："君无戏言，我宫中有禅堂，限你七天，如答不出此语，必割却癫痫头！"澈乃进禅堂去参究，而雍正又派人天天在禅堂门外报时，谓"已过一日，还有六日在！"乃至"已过六日，还有一日在！"在这种警戒之下，澈乃不遑宁坐而急跑，到了第七天，因跑急撞在柱上，遂豁然大悟。求见雍正，雍正谓之曰："且喜你已识国师宗旨。"由这段公案，高旻遂定禅堂内半坐半跑之制度。而此种法制，亦确能调适身心，且有助于参究。由此看来，故知宋、元、明、清禅到了清代，遂有坐跑兼运的禅法。

八、僧俗之常套

所谓僧俗之常套，就是明清以来中国禅宗丛林里一般的情形。关于这，清康熙年间祥符荫的《宗统编年》中有几句话，可以说明大概的情形。他说："自宋高宗丁巳绍兴七年，至明神宗甲寅万历四十一年，凡四百七十八年，其间正宗法脉，时隆时污，大道机宜，若显若晦。高峰、中峰之冷严而蹈晦，万松、雪庭之圆敏以精特，皆所以深培厚蓄，而启隆振之绪于未艾。"此明南宋至明之禅统。又云："启祯（天启、崇祯也）间，禅风以天童、三峰两祖而大振，为先后左右者，云栖、紫柏、憨山三大士而外，有真寂印、鹅湖心、仪峰象、无念有诸公，为之防闲提擎，所以数十年来，令行吴越，几复追唐宋之盛。"又云："万历四十三年至康熙间七十五年，其间天童、磬山，廓龙池、禹门之绪，而临济之道以兴；云门、博山，振清凉、寿昌之业，而洞上之宗聿起；三峰力阐纲宗。善继述者，有灵岩之广大精微，宏觉丕承帝眷；相唱和者，有福严、古南之卓立潇洒，云栖之净业普摄三根，宝华之戒范广弘三聚。皋亭、天谿、曲水、莲居之间，台教之轮传持绚烂；秣陵、金阊、普德、中峰之际，相宗之席讲贯缤纷。"此种叙述，可谓

第二章　中国佛学特质在禅

略得概要。然当帝眷之雍正时，对宏觉加以种种的批驳，而专崇玉琳国师，尤力斥三峰为魔，《宗统编年》亦未曾叙到。如曹洞虽及澹归，而与澹归同出天然门下之十今，皆明末遗老出家，粤中建大刹多处；四川之破山门下如昭觉、大雪等，亦未提叙；这或者是当时川、粤的交通阻隔原故。然清代天台宗所从出之灵峰蕅益亦未说到，不无缺点。

现在中国佛教僧寺的一般情形，要远推于明太祖的五种寺制。他把僧寺分做五大类，即禅寺、讲寺、律寺、净寺、教寺。这里所谓教寺，就是密宗的寺院。这种分法，其实在元时已有雏形，不过明太祖把它显明化罢了。然而到了明末清初，讲、律、净、教四种寺庙，渐渐地少起来，均混合于禅寺。故后来禅寺里，讲经、开戒、念佛堂都兼有。而教寺因为堕落俗化，民间不信，应赴经忏及做水陆道场等，也混入了禅寺。考其所以混合的原因，是因为明末时，各僧寺宗法制度严格施行，是曹洞宗寺即永成为曹洞宗等，临济宗寺即永成为临济宗寺。在那时还是以禅法为主，代代传承，然至清中叶后，则反以寺庙产业为主，故其开戒、传法的目的，反而成为续承寺产的接代人了。由于这种宗法制度的组织，演成现在寺僧常套。禅寺混合成"内则禅、讲、律、净，外则经、忏、斋、焰"。据我所知，在清朝末年，金山、高旻是不做经忏的，然至民国以来，也做水陆，放焰口了。我十三年在天童讲的《楞伽义记》，净心老和尚序之说：

"禅、讲、律、净以究真，经、忏、斋、焰以应俗，天童实具备之。"此即说明清季以来僧寺之一班的常套。一方面参禅，讲经，传戒，念佛，另一方面念经，拜忏，设斋，放焰，应世俗一般人的要求。徒子法孙相承，而禅林反成一个空壳，正是只存告朔的饩羊而已。

中国佛学特质在禅，至此讲完，但还有旁附于禅宗而出现的两种，亦顺便一谈。

九、仙道之旁附

此种仙道，是旁附"空默之观照"而流出的。他们作仙佛合宗等，亦讲明心见性，回光观照。大抵谓性即光，能清净其心，如明镜不着微尘，性光自现。反照者，要在动中时时照顾，日常之间，事来应付过，物来识破他，在尘出尘，不动一毫人我相。回光即回摄性光，以目为机，在天为日，在人为目。天之阳光，日所射入；人之神光，以目泄漏，漏尽则阳竭而死。要将一身精华造化之真气，仍赖二日逆视而摄回。人之聪明智慧，皆此性光之流转，此光最是活泼难定，须用谛观、守中、调息、听息等法，静之定之，光自透入。不过百日，慧光充盈，神光普照，久之通天彻地，无所不到，所谓收之则藏于密，放之则弥六合也。见得长生之性，始可修长生之命。所以他们说，炼心为成仙一半工夫。他们又说，佛经详性功而略命功，道书尚命功而略性功，修性功可以得漏尽通，修命功可以得天眼、天耳等五通。这种旁附，于禅的仙道，影响很大。故雍正亦极重张紫阳，把他的《悟真外篇》选入于《御选语录》中。

还有柳华阳唱性命双修，他说单修性功，难免投胎夺舍；单修命功，不过却病延年。他引古语云："修性不修命，万劫阴灵难入圣；修命不修性，犹有家财无主柄。"他并以在北京与一禅师入定出神，至扬州观花，禅师只能观见，他能取花一枝而回的故事为证。

然仔细考之，秦汉以来，仙家以内丹练气，外丹采药，无所谓性功。而性命双修之始祖，乃系吕纯阳受黄龙禅师感化后而来者。他取禅宗为修性以作修长生之基础，亦犹儒者取禅悟以为求功名之资本耳。西藏经教所传大圆胜满法，其所用之名字虽有不同，然其主张有似性命双修者，所谓即身成佛，亦略同即身成仙也。

《传灯录》记载吕纯阳受黄龙的点化：一日，黄龙山晦机禅师上堂，吕纯阳出众问道："'一粒粟中藏世界，半升铛内煮山川'时如何？"黄龙斥曰："你这守尸鬼！"吕曰："只奈堂有长生不死药乎？"龙曰："饶经八万劫，终是落空亡。"吕飞剑斫之不入，乃拜求指归。龙反问他："如何是一粒粟中藏世界？"吕于言下大悟，说偈曰："撇却瓢囊撇瓢琴，而今不炼汞中金。自从一见黄龙后，始悟从前错用心。"由此可见，吕翁固已弃仙入禅矣。故雍正谓张紫阳取性功为悟真之外篇，其以此为外，乃以真亦不立为外；而以命功所成之仙，犹在三界之内也。故紫阳曰："世人根性迟钝，执其有身，恶死悦生，卒难了悟。黄龙悲其贪著，乃以修身之术，顺其所欲，渐资导之。"由这几句话看来，则张紫阳亦以仙非究竟，禅宗乃为究竟。仙佛合宗等书，以此为吕、张性命双修之道，不惟失禅宗，亦弃吕、张之意矣。

十、儒理之推演

儒理之推演，乃从语录纂研得少分理解，而还从儒家伦理道德而起。历来士大夫与禅宗发生关系者甚多，如韩愈、白乐天、欧阳修、苏子瞻、富弼、王安石、黄山谷、陆游、宋濂、张居正、龚定庵等文学家或政治家，这里且不谈。如陆象山、杨慈湖、王阳明、王龙溪等心学派，不立异于佛门者，亦非此所论。至其本为禅师，如刘秉忠、姚广孝，及入居士传者，如张商英、张九成、耶律楚材、袁中郎、钱牧斋、彭绍升等，固不须说。再如帝王方面，如唐宣宗、明洪武，曾为沙弥，唐僖宗之太子及明建文皆由帝王而终为禅师，及作家皇帝梁武帝、清雍正等，这里亦一概不说。现在所要演讲的，是依禅录纂研悟理，而另张儒理，却又反据儒理而排斥佛教的一些人。

唐李翱之《复性书》说："人之所以为圣者性也，人之所以惑其性者情也。"他本禅学主张，止情而复性，方可成功圣人。但他回到儒家伦理及华夏文化与重农业经济，遂谓儒家之伦理为中道，佛家必离父母出家修行，则非中道。故佛教只宜印度，而非中国所宜，并以重农而反对不耕而食。他从这一、伦理道德，二、中夏文化，

第二章　中国佛学特质在禅

三、农业经济之三点，得来的结论，即成为依佛张儒，而又反攻佛教的宋儒学派的远源了。

周濂溪也是一个受禅法而又为后来立异的理学派所本的人，但他本人却无何斥佛之表现。中峰门下之胡长孺居士的《大同论》曰："孟子没一千四百年而周子出。"周子，就是指周濂溪。"周子之传，出于北固山鹤林寺寿涯禅师"，则周濂溪固出于禅统。程子、朱子皆得之周子，朱子复得张敬夫讲究此道，方觉瞭然。元来此事，禅学十分相似，学不知禅，禅不知学，互相排击，都不曾搔着痒处，真可笑也。还有与周子同时的刘兴朝签判，也由参东林总、慧林英、智海泉诸禅师得悟，而著《明道谕儒篇》，曰："明道在乎见性，余之所悟者，见性而已。……佛曰大觉，儒曰先觉，所觉此耳。……然孔子之道传子思，子思传之孟子，孟子既没，不得其传。而所以传于世者，特文学耳。故余之学，必求自得而后已。"又曰："是道也，有其人则传，无其人则绝。余既得之矣，谁其传之乎？终余之身，而有其人耶？无其人耶？所不得而知也。"兴朝所说，徒遗空文，无人传其道。若如周濂溪，有程、朱一类的人崇奉之，岂非又一传孟子以来之道统。

天童文礼禅师邃于《易》，诸儒大阐道学，师与之游。朱晦庵参师时，问"毋不敬"，师以手示知。杨慈湖问"不欺之力"，师说偈曰："此力分明在不欺，不欺能有几人知？欲明象兔全提句，看取升阶正笏时。"又野录载朱熹少年赴试时，书笼中惟带大慧杲之语录全部，亦见其曾专心禅学。盖理学始自程、朱，而程明道亦近心学。据其理学与佛禅立异者，系程伊川及其门下，而朱晦庵则集其大成者也。

近人马一浮、冯友兰亦究禅宗语录以张理学，二人皆纂研语录，而冯氏之《新理学》尤常引禅宗语录资讲说。兹略叙冯氏说："在哲学中，以负的方法讲形上，最合乎空灵的标准者，是唐宋的禅宗。禅宗自以所讲的是超佛越祖之谈，其所用超越两字甚有意思。他们以佛学各宗为'教'，而自以为'教外别传'，他们是从高一层观点以看各宗对于实际有而肯定的理论。教外亦曰教上，即是超越的意思。禅宗要义有四点：一、第一义不可说；二、究竟无得；三、佛法无多子；四、担水砍柴，无非妙道。此四点中，'佛法无多子'是禅宗所单提。余三点，佛家、道家虽略及，但禅宗特重之。"冯氏于"第一义不可说"及"究竟无得"，到临济、云门、圆悟、南泉、云岩、洞山、百丈、大慧、法眼、曹山、首山、慧忠、庞蕴、药山、马祖、佛眼、法演、舒州、黄龙等古尊宿语，说得口漉漉地，但于"佛法无多子"，则未说出所以。于"担水砍柴皆妙道"的庞居十偈，及曹山之三种堕即明超圣之意，而说为超圣入凡亦可。但《新原人》中，以此斥佛学要出家、学戒、入山、坐禅等，为不如儒家之敦人伦尽人事，则仍执宋儒偏见。不知运水搬柴无不是，出家入山亦何不是？讲学从政无不是，

第二章 中国佛学特质在禅

受戒坐禅亦何不是？盖依事解理，虽解得如是，而先入习见如故，仍触事泥滞。大慧杲示刘敦济云："此事如青天白日，皎然清净，不变不动，无减无增。若当人日用逢缘处，头头上明，物物上显，取之不得，舍之长存。荡荡无得，了了空虚，如水上葫芦，拘牵他不得，惹伴他不得。古来有道之士，得之自生死海中，头出头没，全体受用，无久无余，不睹生死尘劳之状。……昔李文利都尉，在富贵丛中参得禅，大彻大悟；杨文公参得禅，身居翰苑；张无尽参得禅，作江西转运使。只遮（这）三大老，便是个不坏世间相而证实相的样子也。又何尝要去妻孥，罢官职，咬菜根，苦形劣志，避嚣求寂，然后入枯禅鬼窟里作妄想，方得悟道？"从此一则话看来，谁谓禅家一定要教人舍世仕山？只是理学者未免要恋着家俗，妄生是非而已。故依佛张儒而反斥佛者，实在不免偏见之过。

从古今纂研语录而讲理学的，实未能参禅入门也。三峰禅师云："十河九洛，众教总持，须从无文字处求之。"乃著《四书·五经参同》。一日怃然曰："宗乘中事，自问理会也理会得，说也说得，只一事未在，敌他生死不得。"此云理会也理会得，说也说得，不过有一事，就是烦恼生死不能解脱。后放下一切，力参数年乃大悟。故宋儒及今新理学者，虽能在禅录钻点道理出来，至多不过如三峰的未悟以前。且如已悟之三峰，亦不过才破本参而已。钻研语录，在力参透悟；说理，则去钻研语录之意亦远矣。

第三章

禅观行演为台贤教

第一节 绪 言

今讲贤首学与天台学，分为五节。先讲叙论，又为三。

一、贤首学与天台学名义之审定

贤首学与天台学之名义，须先为审定。贤首二字，为华严宗第三代法藏大师受于皇帝之赐号。但贤首学乃代表华严宗学以言，以华严宗由此师成立，所以即用此师的赐号为宗名，曰贤首宗。故现所讲者，并不是贤首大师一人的学说，而是讲明贤首宗之学也。天台为山名，此山为天台宗第三代智颛大师居住，因名天台大师。此宗至大师始成立，因此就名为天台宗了。由此现今所讲，亦非专讲智者一人的学说，而是天台宗一宗之学也。虽不是专讲贤首和智者二师之学说，而今亦即以此二人为代表，来说明这两宗的学说的大概。因这两宗的学说，确是由这两位大师所发挥综合而成立的，故以这两位大师为代表来说明这两宗的学说，也就是说明华严宗学与天台宗学。

二、台贤为中国特创之佛学

这两宗的学说皆是中国创兴的佛学。因这两宗的学说，虽然也依据着印度传来的经论，而这两宗学说的特点，并不是由于印度传来的佛教思想系统而成立的，乃是在中国所传的印度佛学上为一孤起独唱的学说。譬如天台学的创始者为慧文禅师，慧文禅师之思想，虽说是出于《般若》、《智度》、《中观》，而并不是承传《智度》、《中观》之学者，乃由其自修禅观功力之所得，而印证于《智度》、《中观》耳。其师承源流则不能明其底细也。贤首宗之开创为杜顺大师，其思想学说，虽有其所依的经论，而亦是以自证得华严三昧，创建华严宗，而并无传承之学统。因此，这两宗在中国佛教史上，是最重要的两个宗派，也可以说是大乘佛教思想史上的两个特异的奇峰。中国佛教虽尚有净土宗、禅宗等的特殊发展，然而净土宗有三经一论和印度菩提流支的传授，至今弘扬不断，这是依印度传承的经论弘扬的；禅宗也

有印度的传统，例如达摩东来，并传《楞伽经》印心
等。况且禅宗又有西方二十八祖、东土六祖之说，东土
的初祖，就是印度末祖，禅宗发展到现在，也还是一代
一代地承着印度的祖系。而这两宗的思想学说可不是这
样的，他们的思想完全是由于自修禅观内证三昧以后，
各引大乘经论为印证，以开发出来的。由此故说这两宗
学说是中国佛学。

三、台贤皆以禅为源

这两宗学说，在宋明来虽与慈恩宗皆称为教下三家，
然地论、摄论、三论、慈恩、成实、俱舍等各宗，皆是
传承印度的学说，将其发扬光大而已。独这两宗的学说，
虽亦依经论为印证，而不是承传其学系者，乃是由自修
禅定得成就后，发展出来的。譬如慧文禅师，并没有著
作行世，只留几句简单的禅语，杜顺亦只有《法界观》
与几首禅偈。故这两宗的学说，是以修禅为源泉的，所
以中国佛法之骨髓，在于禅。这两宗之学，既由先得禅
定而后印以经论才建立为宗，故其初祖，多分是一向修
行禅定的禅师，到了第二代祖师，才向教理方面渐为解
释，至第三代，遂集其大成，而宗学由此确定。后世不
察其禅源，而仅讲其教相，因称教下。假若这两宗的第
二代第三代的传承者，不向教理方面发展，则其学必归
为禅宗矣。

第二节　实相禅布为天台教

一、天台学之根据

天台宗根据的经论，以《法华经》为最要，故有称天台宗为法华宗者。然此宗实不完全依据《法华》。何以故？譬如天台初祖慧文禅师，他最初引为证明的是《大智度论》与《中观论》，而鲜有称其以《法华》为宗者。到了慧思大师，禅定之余，虽常诵《法华》，修安乐行三昧，但他最注意的还是《大品般若》。至天台智者大师，始全重《法华经》，诵《药王品》，亲见灵山，得法华三昧，故彼一生重在《法华经》。同时他于《涅槃经》亦甚重之。故天台宗根据之经，是《法华》、《涅槃》和《大品般若》。根据的论，为《大智度论》。例如慧文禅师说明一心三观，他是根据《智论》所说的三智一心中得（即一切智、道种智、一切种智，此三种智于一心中同时俱得）。次为《中论》。此宗所修空假中一心三观，由观一境真俗中三谛而发，《中论》云："因缘所生法"，就是一境；"我说即是空"，就是真谛发空观；又云"亦说为假名"，就是俗谛发假观；又云"亦名中道义"，就是中谛发中观。因此天台宗一心三观，亦是依据《中论》的因缘所生法一偈而开演的。有为法无论心色假实都是因缘所生，凡是缘生就是空，空即是假，假空不二就是中道。而天台之立四教，亦依《中论》，此偈初句因缘所生法，对治凡外，建立小乘；即是藏教；次句观缘生即是空，利通大乘，钝不离小，是通教义；三句观因缘所生即空而亦即为假，乃为别教；因缘所生法即空即假即中道，为圆教义。随拈一因缘生法，即空即假即中道故。以上是天台宗所根据的几种重要的经论，其次尚有《维摩》、《金光明经》等，《成实》与旧译《俱舍论》等，兹不繁演。

二、天台学之先河

智者大师依《法华》开立宗教，但在智者之先，就有光宅法师等大弘《法华》，光宅所说，在智者大师著述中尝引辨之。其次慧观、慧严诸法师涅槃宗的立论，以《法华》为同归教，而以《涅槃》为常住教，加于《法华》之上。后来由智者大师运用其博大天才，融合《法华》、《涅槃》为一时，涅槃宗遂归入天台。其次，天台一境三谛既然是依据《中论》，故三论宗或四论宗诸师之所说义，亦皆为智者大师收归其或通或别或圆之教。复次，《成实论》亦为天台所取，此论在梁朝弘传最盛，所以当时有成实宗之建立，且有判为大乘者，僧朗法师弘三论以破之，始判为小乘，智者大师的通教教义，多取《成实论》意。复有地论宗、摄论宗诸师之教义，智者大师虽不多依据，但在《摩诃止观》所讲庵摩罗识等，亦尝汲取于二论。复次，《俱舍》有新旧两译，智者大师的藏教教义，则多取材于旧《俱舍论》。由这多方面的先河，遂集成了天台宗的广大学海。

三、天台学之成立

甲、慧文慧思之创发　天台学胚胎于慧文禅师，长养于慧思禅师，至智者大师集其大成，而判释佛陀一代时教。慧文禅师本来是修禅定的，故向称为禅师。但在慧文禅师以前，平常修禅定的人，或依《坐禅要法经》等修习禅观，未有一心三观之禅。天台之一心三观，为慧文禅师所悟，而印证于《智度论》等者。其次，一境三谛之说，至慧思和智者根据《法华》诸法实相的十如是义，广为发挥，妙理重重，尤称绝唱。这种的悟境，多出于禅观而得的自证境界。

天台宗到了慧思禅师，基础更建立的好了。慧思禅师尝诵《法华经》，修安乐行三昧。他的著述，传说有好几种，但是现在存着的，只有《安乐行义》、《诸法无诤三昧法门》、《发愿文》、《大乘止观》四种。前三种是思禅师叙述禅定用功方法等，重在实行；《大乘止观》之关于教理者，多接近《起信论》的思想。由此有人说《大乘止观》不是慧思禅师所著的，理由是《大乘止观》中所引用的《起信论》文句，在后于慧思的弟子智者大师的著作中尚不见引用，而已先为慧思引用，实属可疑。但是依我的研究，这《大乘止观》还是慧思禅师作的，理由是：传译《起信论》的真谛法师，来华在梁朝武帝末年，这时思师犹在。适逢世乱，真谛法师亦不能安处，遂遍游南方各地，曾到过衡州，《起信论》即在衡州时译。衡州即南岳山之所在地，所以当时慧思禅师可以见到《起信论》，因此可以依《起信论》作《大乘止观》。而智者大师其时已到江浙去了，和衡州相距很远，交通困难，况梁、陈间又是个乱世，《起信论》未遍流通，因此他未必能见到《起信论》，他没见到《起信论》，他的著作中，也不能引用《起信论》了。从此可以推定《大乘止观》是慧思禅师的著作，并不是后人的假托。

慧思禅师居住湖南的南岳山，世人尝叫他南岳大师。他对于天台宗是第二代祖师，他虽受持《法华》安乐行三昧，然而他也专重习禅，且在他的《发愿文》中，尤极推重《般若》。安乐行三昧是依《法华经》的，他说修法华三昧而得六根净，当具足四种之妙安乐行。他又解《法华经》的譬喻，依《般若三论》等发明天台的一乘义，谓之一华成众果，一时而具足。谈到慧思禅师的禅定，虽说是修《法华》安乐三昧，而他是以禅为根本的，因此他于《法华》只是修法华禅。修法华三昧行有二种：一种有相行，即受持《法华经》而求得禅定；一种是无相行，就是说日常四威仪要常住在定中的意思。以上是说明慧思禅师的解行大概，但是他对于慧文禅师一心三观、一境三谛之思想，并未十分发扬，到了智者大师才发扬光大。

乙、智者之完成 说到智者大师，他是天台宗第三

第三章　禅观行演为台贤教

代的祖师，天台宗学到了智者大师才成立。他的历史，如史传中说。兹将他的思想学说和建立天台学的几个重要意义一说。智者大师建立教观的思想，在中国佛教史上是最伟大的了，他以八教五时等来判释释尊的一代教法。

1. 建立八教　以八教来判决全佛法藏。八教分做二种，一种是化法四教：一藏教，二通教，三别教，四圆教。这四种教，是实质的分判，也可以说是事实的分判。从受教的众生方面，观察根机而分别施药，这样就可以将释尊无量教法分判得有条不紊了。其次，化仪四教，是说明佛陀应机说法的各种方法仪式：一顿教，对上根利智直说成佛之法者，如《华严经》等。二渐教，是对普通的三乘人说从小入大法门者，这有初中后的分别：渐初者，如《阿含》；中者，如《方等》诸经；上者，如《般若经》等。三秘密教。秘有三种：一种是同在一法会中，闻法彼此各不相知秘密；二是陀罗尼秘密，现在的密宗还是天台二种秘密中之一种。四不定教。说法不定，或闻法得益不定，就是除上三种说法仪式之外，余式为不定教。

化仪四教的建立，是智者大师学说中一种最殊胜义。在他以前，虽有顿渐和半满的说法，但是没有法与仪的分类，到了智者大师始建立。化仪四教、化法四教的意义和组织很繁广，在这短时间中不能有详明的叙说，不过大约可以用大小乘来分配一下，以见其大概。如表：

```
                    钝根 —— 藏教
            小乘 ⟨
                    利根 —— 通教
  佛教 ⟨
                    钝根 —— 藏教
            大乘 ⟨
                    利根 —— 通教
```

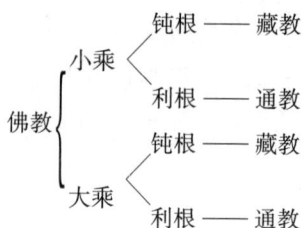

照上表观之，虽然前二是小乘，后二是大乘，但是可以互相相通的，一研究智者大师的五时八教图表，就可明白了。

2. 五时　智者大师建立天台教义，有五时的分判。五时者，一华严时，二鹿苑时，三方等时，四般若时，五涅槃时。这五时，是说明释尊说法的时代前后所说的各别不同，但释尊的说法，本没有限定，所以天台于此别五时以外，又有通五时之说。别五时，就是说法听法别有齐限；通五时，就是可通前后的。

3. 一念三千　为智者大师建立天台教观中最特胜之点。五时分判，是根据《涅槃》五味、《法华》穷子喻等。此一念三千，为一心三观所观真俗中三谛所托之法。一念三千简单的说明，就是一刹那心念中具足三千诸法，包罗一切有情法和非有情法。天台教中分宇宙万法为三类：一曰有情，即正报；二曰非情，即依报；三曰五蕴，即情与非情所共依之法。这三类法，各具有十种差别，所谓地狱、饿鬼、畜生、修罗、人、天、声闻、缘觉、菩萨、佛的十法界。又皆可互通摄，就是说地狱界具有佛等九界，乃至佛界也具有地狱等九界，这样十界互具，就成了百界。在这百界之中，每界又各具有性、相、体、力、作、因、缘、果、报、本末究竟的十如是，谓之百界千如。依、正、五蕴三类，各具百界千如，就成了三千了。这三千诸法，一一法皆是真俗中三谛，三谛圆融互摄，照之即成一心三观。一心三观中，具足三千诸法，谓之一念三千。一念心中具足曰理具，事实显现曰事造，理具事造两重三千诸法互摄互融，乃为天台智者大师依《法华》诸法实相义，充实慧文一心三观之微妙观境。

4. 六即　六即者，一、理即；就是三千诸法在一心中具有，则一切众生即同诸佛，无二无别，当体即佛，因此说一切众生本皆是佛。二、名字即；名字谓教理，依教理而开圆解，解齐诸佛，曰名字即佛。三、观行即；谓依前理解，观行相印也。四、相似即；六根清净，相似于佛也。五、分证即；于佛法身，次第分证。六、究竟即；谓于佛果圆满证得。这六即义依圆教立，而藏通别教，亦得各论浅深。就是说，藏教人有藏教的六即，乃至圆教人也有圆教的六即，凡圣阶位，又有互齐各殊之义，兹不繁述。此外还有惑、业、苦之三道；见思、尘沙、无明之三惑；般若、解脱、法身之三德；一切智、道种智、一切种智之三智；法、报、化之三身四土；以及三佛性、三菩提、三解脱等。这些和三观三谛相应而说的三法门，亦为此宗教义之特点。

四、天台学之演变

天台学之成立，归功智者大师，但是智者大师的学说，统统是由章安尊者记录而成。他的著述，向称三大部，为根本教典，就是《法华玄义》、《法华文句》、《摩诃止观》。此外还有五小部及禅波罗密、六妙门等。但天台学成立后，当时因时地交通的关系，只能在天台山的一方面弘传，其他的地方，并不十分发达。可是到了后代，就渐渐弘传到各方，因此天台之学就有很多的演变了。

甲、荆溪与法相华严及禅之对抗　天台学自智者大师去世后百余年的时候，有荆溪大师承传斯学。在这个时期中间，中国佛学界曾经过慈恩之法相唯识的弘扬，当法相学盛兴的时候，天台宗颇受掩抑。所以到了荆溪大师的时候，对于法相学有很多的评论，尤其是对于窥基大师的《法华玄赞》，抗论最甚，曾提出五百问来质难。

复次，他对于贤首学的华严教义亦有辨论。传清凉曾依荆溪先学天台学，后方弘华严，其教义多有取仿天台者，故后来天台学者多抗辨之。

复次，他对于当时流行的禅宗风尚，本着智者大师的一心三观禅及各种止观，而予以严格的批判。因此他对于禅宗，也有多种的辩论。所以荆溪在天台宗上占着复兴的地位，而他的学说，都是从批评以上三宗，显扬自宗，而成立的。

乙、宋代山内山外与华严及禅之辨　天台学到了宋朝，有四明法智尊者大弘天台学，但是即由之而天台学分山内（即名山家）和山外的两派。山内派自称为天台的正统，即四明一派；山外为慈光等一派。至于这两派的内争，时期颇久，加入论战的人数也很多，所讨论的问题更不一致。大约的说，山内派的人特别举扬天台之独殊学说，如性具义，佛果具恶义，以妄心为观境义，而绝对不苟同附合华严、禅宗等说，且据其特殊义以评破之。至于山外派人的学说，则颇与华严、禅宗等义相融，而不许以妄心为所观境义等。

丙、蕅益援禅法相入天台　蕅益是明末盛弘天台的大师，他对于禅宗、法相宗、律宗、净土宗各方面都有著述，他虽是宗在天台，其实他的学说并不限于唐宋来天台传统的思想。他的修行，初于禅律，后归于净土。他当时因为天台学者和禅宗、华严宗、法相宗的学者，各持异见，不相和合，颇不以为然。他的意思是佛教各宗各派的学说，虽稍有不同，但是本源和目的皆是一样，不应自相攻毁，应当一致的发展，这在他的各种著述中常见到的。他又将佛教分为禅、教、律的三大系，综合此三始为完全的佛教。因此他对于禅宗、法相宗学说援之入于天台，例如法相宗的二世缘起义，天台家向未引用，蕅益则引用之。

五、天台学之述要

天台学之大略已如上述，现在把天台宗的几个重要点再略为叙述。天台所判的五时八教等，现在觉得不十分重要，而考察天台学对于佛法最重要的几个贡献，是一心三观、十法界、六即、性具。

甲、一心三观　一心三观前面已经略为说过。略而言人，是由一境三谛起一心三观，以一心三观之智，证一境三谛之理，可谓得佛法之大总持及一切禅观法门之纲要者。如此一心三观，为佛法中最普遍义，亦即佛教的根本，就是天台宗第一宗要。

乙、十法界　十法界在天台教义之前没有具体的组织，到了天台教成立以后，才组织成立。而且十法界每界互具九界，而成百法界，重重涉入，犹如帝网。后来华严宗的十玄和密宗的曼陀罗等，皆援引天台十法界互具互融之义相助发挥，这是天台学之第二宗要。

丙、六即　六即义前已说过。简单的说，六即义可以使人明白一切众生即身是佛，于无上菩提不生退屈心。然性德虽是如此，如不起修德，则仍为众生，因此有即而常六的四教阶位之判，使修学者不生增上慢。密宗的即身成佛，只得到六而常即的一面，不逮天台六即之圆满。这是天台学的第三宗要。

丁、性具　性具义是观察十法界的有情，不但具一切善而且具一切恶；如到佛果，仍可现地狱、饿鬼、畜生之恶相而施教化，这不但就体性说是如此，就是依行相上去说也是如此。如果佛现金刚药叉明王等忿怒贪痴像，于诸暴恶造罪有情行诸恶事，这是恶事善用；在平常世间众生之恶相，是业感的幻化相，而到了佛果，亦可幻现这种恶相的行事来度化众生。天台宗特别发挥这性具的道理，所以有人称天台宗为性具宗的。这是天台学的第四宗要。

六、天台学与禅律净密之关系

甲、天台学与禅宗的关系　天台学和禅宗关系颇深，创始的慧文、慧思二师，都是修禅的禅师。到了智者成立教义的时期，禅宗尚未十分兴起，而当时一般佛弟子所修的禅定，要算天台之一心三观的禅为最高的禅定了。后来禅宗盛行，到了荆溪大师抗禅宗而宏一心三观之禅，其弟子梁肃有《删定止观》等。宋朝四明大师还是依着天台禅观而和当时的禅宗对抗，不相上下。元明以来，实习天台禅观者甚少，就是学天台的人，也多半流为净土宗，而不能与禅宗抗衡了。

乙、天台学与律宗之关系　天台与律宗关系亦殊深厚，天台大师得法华三昧，以诸法实相普遍建立禅观教律，摄受一切徒众，于律当然重视。故智者于《四分律》有疏，并疏《梵网经》等。到宋朝灵芝律师，依天台教义阐扬律宗，立圆顿戒体。在先戒体之解释，多依法相，自此以后则宗天台。

丙、天台学与净土宗之关系 智者大师之弘净土，曾著《十疑论》等。命终有说生兜率净土者，而多数则说生极乐净土。其次，天台宗弘净土最力者为蕅益大师，教宗天台而行归净土，以至现在天台宗学者，皆循行之。

丁、天台学与密宗之关系 天台学成立时，密宗尚未兴起。唐以来而弘传密宗者，如一行之《大日疏》，多依天台教义。而天台大师对于古来所传杂密经咒，皆融摄无遗，故其修持的行法，多与密教相倚。今所盛行之大悲忏仪轨、水陆等仪轨，皆出于天台学者。因此日本之传教大师，既传天台宗，复学密宗而建立台密。故日本密教分两派，一为台密，一为东密。其学天台者，兼传密法。

第三节 如来禅演出贤首教

一、贤首学之根据

先说贤首学所依据的经论。本来贤首宗所引用的经论很多，但是作为真正的根本依据者，即为《华严经》，因此贤首宗大多数称为华严宗。又贤首宗的初祖杜顺和尚和二祖智俨和尚都依《华严》修观判教，贤首、清凉亦专讲《华严》，就是到了圭峰，虽然以略摄广来偏弘《圆觉经》，而是以《圆觉经》为《华严经》一部分的。由此故说贤首宗的宗本所依只是《华严经》。至于贤首，虽亦疏《法界无差别论》、《十二门论》，而判教则多依《大乘起信论》。总说一句，贤首宗的根据，经为《华严经》，论则《起信论》。

二、贤首学之先河

贤首学的先河，大约可以说有两系：一是地论宗的慧光系，二是摄论宗的真谛系。地论就是《华严十地经论》。《十地论》的翻译，在北魏时有三师，一为勒那摩提，二为菩提流支，三为佛陀扇多。自《十地论》译出以后，研究《华严》者极盛。这三人译本，稍有异同，而参于译事者慧光法师，将异译会通为一而弘扬之，遂建立为地论宗。相传为华严第二祖的至相寺智俨法师，就是出于慧光系之下，由此可以知道慧光地论宗与贤首宗之关系了。至于杜顺和尚的所承虽不可考，而杜顺之修禅诵《华严》亦与慧光相近，后来到了贤首大师的时候，《华严》盛宏，以《十地经论》本属《华严经》之一品，无须别立，因此地论慧光系遂归入华严了。

其次，说到摄论真谛系。《摄论》最初译者是真谛法师，所译《摄论》虽与唐玄奘所译文义有异，然亦为传世亲之学者。真谛《摄论》，说第八识通于染净曰无没识，这种说法却和《起信论》说阿黎耶识有觉不觉的意义相当。《起信论》也是真谛所译，又为贤首所依宗，其义与旧《摄论》又颇多相似，因此说摄论真谛系亦是贤首学的先河之一。不过，后来玄奘重译《摄论》，真谛摄论遂归入法相宗而不弘了。

其次，若天台之学说，于贤首学影响尤大。但天台学迄今与贤首学并存，因此留待天台学与贤首学比较中再说。

三、贤首学之成立

贤首宗学的根本建立和天台不同，天台学虽发端于慧文，继传以慧思，但是教观具体组织的成立，全在智者大师。而贤首学的根本建立，则在杜顺和尚和二祖智俨和尚，贤首不过继承其说，重为结合补充而已。

甲、杜顺之法界三观及十玄　杜顺和尚的传承不得而知，传华严者向称为初祖。他有二种著述：一为五教止观，二为法界观门。在法界观门建立三观：（一）真空绝相观；（二）理事无碍观；（三）周遍含融观。这三观和天台的空、假、中三观相等，真空绝相观就是空观，理事无碍观就是假观，周遍含融观就是中观，但内容不同。杜顺三观，每一观门中有十门，其含融观中的十门，即有名的十玄门：一、同时具足相应门；二、因陀罗网境界门；三、秘密隐显俱成门；四、微细相容安立门；五、十世隔法异成门；六、诸藏纯杂具德门；七、一多相容不同门；八、诸藏相即自在门；九、唯心回转善成门；十、托事显法生解门；此十玄为贤首宗较天台宗一心三观更充实更殊胜之义。其次，五教止观，也就是五种观门：一、我无法有门；二、生即无生门；三、事理圆融门；四、语观双绝门；五、华严三昧门。这五种观门，即为贤首宗五教的根据。但有人说此五种观门，不出杜顺而出于智俨，今未考定。

乙、智俨之六相五教　智俨为贤首学之第二祖，他有《华严搜玄记》、《孔目章》等。所说明者，除阐扬杜顺十玄无尽之理外，其最显著者为五教之建立，所以此宗的五教可归为智俨的建立。次为六相的弘阐：一同，二异，三总，四别，五成，六坏。相传此六相观，系一梵僧教智俨修习的。这六相说，具见在《地论》中，而广为说明和注重，则始于智俨大师。

丙、贤首之三时十宗　贤首大师虽说是集华严学之大成者，但他多分是承传前两师之学说。如三观、十玄、五教、六相等，在贤首之所说中，仅曾略为变更组织。而此外贤首之所立者，为十宗与三时十仪。

1. 十宗　十宗者：一我法俱有宗；二法有我无宗；三法无去来宗；四现通假实宗；五俗妄真实宗；六诸法但名宗；七一切皆空宗；八真德不空宗；九相想俱绝宗；十圆明具德宗。这十宗的建立，其实贤首是根据于法相唯识宗所传而建立的。此十宗的前七宗，完全同于玄奘、窥基之所传；至第八宗，则贤首另开为八九十三宗了。因此，十宗说为贤首所立。但是这十宗，后来又约为六宗，即将前六合为一宗，名随相法执宗。第二为唯识法相宗，此全为对法相唯识而立者。第三真空无相宗，即是一切皆空宗。第四藏心缘起宗，即真德不空宗。第五真性寂灭宗，即相想俱绝宗。第六法界圆融宗，即圆明具德宗。兹将法相唯识的八宗和贤首十宗、六宗表列于后。

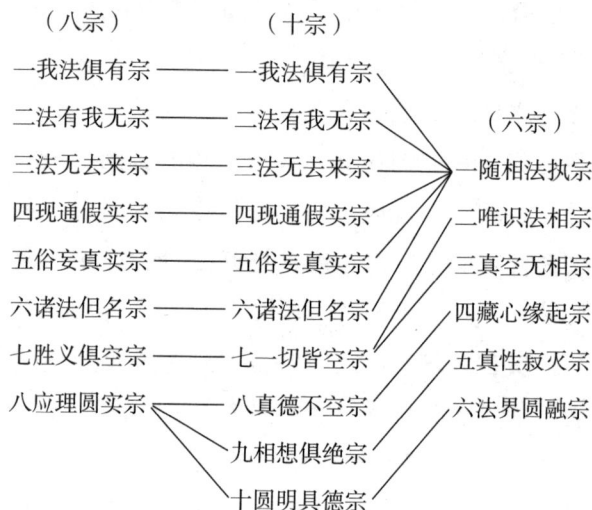

（八宗）　　　　　　（十宗）

一我法俱有宗 ——— 一我法俱有宗

二法有我无宗 ——— 二法有我无宗

三法无去来宗 ——— 三法无去来宗　　　（六宗）

四现通假实宗 ——— 四现通假实宗　　一随相法执宗

五俗妄真实宗 ——— 五俗妄真实宗　　二唯识法相宗

六诸法但名宗 ——— 六诸法但名宗　　三真空无相宗

七胜义俱空宗 ——— 七一切皆空宗　　四藏心缘起宗

八应理圆实宗 ——— 八真德不空宗　　五真性寂灭宗

　　　　　　　　　九相想俱绝宗　　六法界圆融宗

　　　　　　　　　十圆明具德宗

2. 三时　三时也是贤首创立的：一先照时；二转照时；三还照时。先照时，谓佛先说《华严》，度大乘根，如日出先照高山。转照，为度三乘人说三乘法，令渐次证入佛之菩提。三还照时，谓说《法华》等会三归一，如日没时仍照高山。这三时义，同《金光明经》中之所说。又三论中之吉藏法师立三种法轮，亦同此三时义。而开转照时为三时，即同天台的五时。不过分两种三时以说，其组织较为善巧，内容仍是相同的。兹将吉藏三时，贤首三时和天台五时表列如次：

第三章　禅观行演为台贤教

吉藏三时　　贤首三时　　天台五时

一、根本法轮——先照时——华严时

二、枝末法轮——转照时┬鹿苑时
　　　　　　　　　　　├方等时
　　　　　　　　　　　└般若时

三、摄末归本法轮——还照时——法华涅槃时

　　此贤首三时，等于天台之别五时，仿通五时而有一念一化等十时建立，此十时亦为贤首所立十法门中胜义之一。

　　3. 十仪　在天台有化仪四教，贤首扩充之以立十仪，较天台的四仪更为圆满。言十仪者：一本末差别门，二依本起末门，三摄末归本门，四本末无碍门，五随机不定门，六显密同时门，七一时顿演门，八寂寞无言门，九该通三际门，十重重无尽门。此十仪和四仪的比较，至后再说。其他若十身、十对、十门悬谈等，兹亦从略。

四、贤首学之演变

　　甲、慧苑之刊定　慧苑为贤首的高足弟子之一，贤首的弟子本来很多，但是后来很少真正能传承贤首的学说者。慧苑不但不传承其学，且批驳之。慧苑对于贤首之五教不满意，作《刊定记》以辨之，以为五教是依天台四教立的，五教之中除了顿教，就全同四教。然而顿不应立为教，何以故呢？以顿为所诠之理，不应指为能诠的教法。因此他另立了四教：一迷真异执教，二真一分

167

半教，三真一分满教，四真具分满教。因其叛逆师说，后说贤首宗人把他摈出宗外。其实慧苑之义未可厚非。

乙、清凉之恢宏　贤首学之弟子中，既然没有亲承弘传者，且为慧苑刊定说所乱，遂不昌明。后至第四祖清凉国师，始全盘接受，整个弘扬，且于义理不足者补充之，作《华严疏抄》及《悬谈》。前三祖弘扬的《华严》为六十卷译本，至清凉乃依八十《华严》，其抄统摄一切经论，提纲教海，纲目全张，故欲得贤首学的大全者，须研究清凉的《悬谈》、《疏抄》，故余有称华严宗为清凉宗之议。清凉国师所处的时代很好，三论、唯识、天台、净土、律宗、禅宗、密宗，均极其发达。清凉国师于唯识、三论、天台、禅宗等义，多有能融摄于华严中者，故为于贤首学能发扬光大之一大师。

丙、圭峰之敛削　圭峰为贤首宗第五祖，虽承传清凉之学，但其自身是出于禅宗，所以他趋重于禅，曾著有《禅源都诠序》。其次，则舍《华严》而力弘《圆觉》，既以禅宗为宗要，同时又弘《圆觉》，均有敛削圆教而就顿教之势也。

丁、宋以来之衰落　贤首学在唐时经过会昌之难，甚为衰落。虽宋朝有长水、源净诸师之弘扬，但其势仍微，仅对于《起信论》等稍有缵述，抱残守缺而已。

戊、明清来与天台之对抗　明朝天台宗有幽溪、蕅益等宏演，对于贤首五教，每讥其不如天台四教之有断证位次等，因此明清间之贤首学者续法大师等，仿天台

第三章 禅观行演为台贤教

四教仪，有贤首五教仪及五教开蒙等之组织，遂为明清来所传之贤首学。

五、贤首学之述要

已说贤首学的成立和演变，则可知其宗学的大略，今复将其学之要点略为述之。

甲、五重法界 五重法界者：一事法界，二理法界，三理事无碍法界，四事事无碍法界，五一真法界。这五重法界说，为贤首宗开立之说。约言之，前四是相对的，有差别的，可安立的；第五一真法界则是绝对的，无差别的，不可施设，不可安立，不可言说的。又可以说全是相，则前四法的相，完全是别依于一真法界的相而起的，即是性起。虽四一不同，而一即是四，四即是一，一不外四，四亦不离于一。然此五重法界说，颇近唯识宗的四重真俗谛说，智者应详。

乙、六相 六相也是华严贤首学的要义。一同相，就是同类；二异相，就是异类；三总相，即一法之全体，如一屋相为总相；四别相，如户窗等，是屋的别相；五成相，总合则成；六坏相，别具则坏。这六种相，无论何法，均可依之以观察。

丙、十玄 十玄为杜顺所立，已如前说。不过贤首后来对于十玄稍有变动，因此讲十玄的有新旧两说。兹列表如次：

古十玄：
一同时具足相应门
二因陀罗网境界门
三秘密隐显俱成门
四微细相容安立门
五十世隔法异成门
六诸藏纯杂具德门
七一多相容不同门
八诸法相即自在门
九唯心回转善成门
十托事显法生解门

新十玄：
一同时具足相应门
二广狭自在无碍门
三一多相容不同门
四诸法相即自在门
五隐密显了俱成门
六微细相即安立门
七因陀罗网境界门
八托事显法生解门
九十世隔法异成门
十主伴圆明具德门

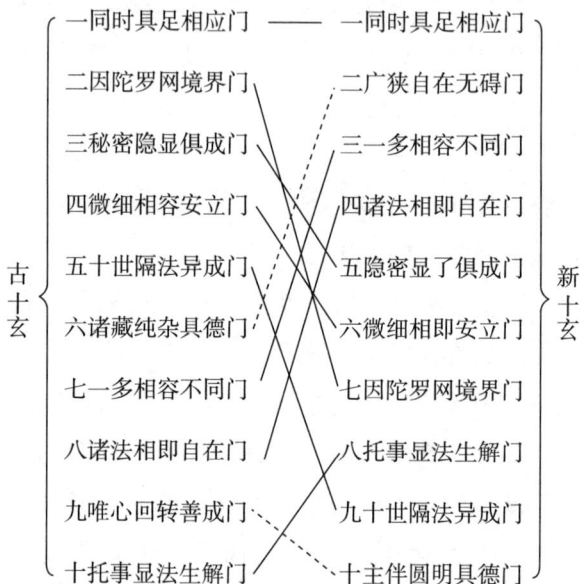

对于每一法一事皆可作十玄观，此十玄义不能广释。如一多相容不同门，谓一能摄多，多复摄一，虽复互摄，而仍各具本位，不碍不坏。举此一门，余可例释。十法门中，若贤首宗之说十身，亦为殊特。十身有两种，一种就佛身明十身，二就有情世间器、世间正觉、世间融合而为十身。就总义，一切法皆为佛法身，他宗皆有此义；若分别说国土身，虚空身等，则为此宗胜义也。

丁、性起 天台宗有性具义，华严宗对之说性起义。性起就是十玄缘起，亦名法界无尽缘起。如清凉《悬谈序》云："大哉真界，万法资始。"万法资始于真界，即性起义。贤首学者谓天台性具只具而已，此宗说性起，则不但性具，而且性起为事实，故又胜于天台。

六、贤首学与禅律净密之关系

贤首学和禅、律、净、密的关系，与天台和禅、律、净、密关系不同。在净、律、密三宗之中，虽多引用华严贤首学为它的依证，而贤首宗本身则对于净、律、密未生多大之关系，唯对禅宗则很有关系。如智俨判顿教就是专为摄入禅宗，后来清凉亦习禅宗，至圭峰则本出于禅宗，故后之贤首学者亦近禅宗。

第四节　贤首学与天台学之比较

一、五教与化法四教

贤首五教为小、始、终、顿、圆，天台化法四教之藏、通、别、圆。天台四教成立在前，贤首五教成立在后，说五教是仿四教立的，在慧苑法师已有批判。说小、始、终、顿、圆五教，除了顿教，小、始、终、圆，就是天台的藏、通、别、圆，不过改个名目，又加上个顿教罢了。但是慧苑说顿教是所诠之理，不应立为能诠的教法，因此说五教即是四教，五教和四教的比较，无甚殊胜。且在天台宗，虽不立顿教，而四教各说有离言谛，此离言谛就是顿教理，而在四教之外，反显天台学者的善巧。然清凉对慧苑之说，曾为贤首辩护，谓顿教者，一言顿诠胜义；此一言，就是顿教。这说虽极有理，而此只言单语总摄一切要义的言句，是散在各种经论之中，仍不能指定那一部经论是顿教，故其顿教义仍不能成立。然考贤首之立顿教。全为摄入当时之禅宗，故只有禅宗的语录可以判为顿教。复次，须注意者，天台化仪四教的顿教和这五教的顿教，字虽同而意极不同；天台顿教属设化的形式，贤首顿教为能诠教体。

$$
\text{贤首五教}
\begin{cases}
\text{小} \!\!-\!\! \text{藏} \\
\text{始} \!\!-\!\! \text{通} \\
\text{终} \!\!-\!\! \text{别} \\
\text{顿} \!\!-\!\! \\
\text{圆} \!\!-\!\! \text{圆}
\end{cases}
\!\!\!\text{天台四教}
$$

离言谛

二、十仪与化仪四教

贤首的十仪，虽然说是仿天台四仪建立的，但是十仪比较四仪确是完善得多，其建立的意旨，深远奥妙，大有胜进。兹表摄之（见后）。

十仪中的第二门，就是天台的渐教，第五门即天台的不定教，第六即秘密教，第七门即顿教。其余各门，则超出天台的四仪了。

第三章　禅观行演为台贤教

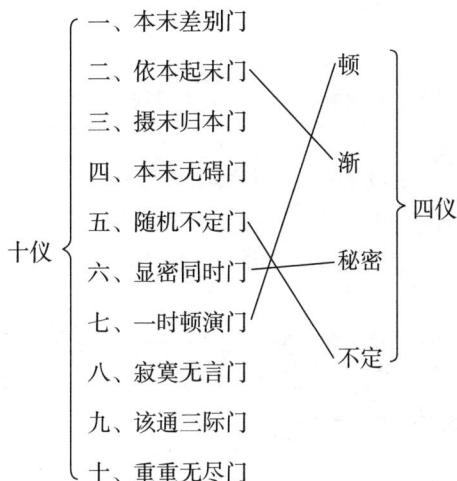

```
         ┌ 一、本末差别门
         │ 二、依本起末门─────┐ 顿 ┐
         │ 三、摄末归本门    ╳   │
         │ 四、本末无碍门    渐   │
         │              ╲    │
  十仪 ┤ 五、随机不定门      ╲  ├ 四仪
         │ 六、显密同时门───── 秘密 │
         │ 七、一时顿演门    ╳   │
         │ 八、寂寞无言门    不定 ┘
         │ 九、该通三际门
         └ 十、重重无尽门
```

三、三时与五时

贤首三时和天台五时的组织虽不同，而内容是同的。贤首的第二时就摄了天台的第二、第三、第四三时。其次，天台有通五时，贤首依之立十时。一一念时，二一化时，三三际时，四同劫时，五异劫时，六念摄时，七重劫时，八异界时，九相摄时，十收末时。这十时所观之境，更为广大深玄，实胜于天台通五时之义。兹表如次：

```
           ┌── 一、华严时 ──────────── 先照时 ┐
           │                                    │
           │   二、阿含时──初转时 提胃阿含 ┐    │
 天        │                               │    │ 贤
 台        ┤   三、方等时──中转时 方广深密 ├转照时│ 首
 五        │                               │    │ 三
 时        │   四、般若时──后转时 般若妙智 ┘    │ 时
           │                                    │
           └── 五、法华涅槃时 ────────── 还照时 ┘
```

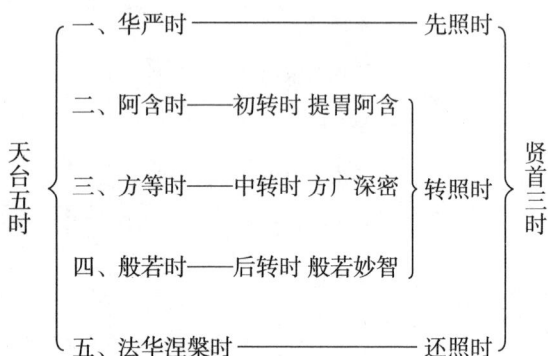

四、同别圆与兼纯圆

贤首判华严为别教的圆一乘，而称法华为同教的圆一乘，以法华虽为一乘圆教，而其中实摄有各种方便，而华严则为根本的纯粹的圆教一乘也。可以说华严为特别整个的圆教一乘，因此论天台所宗的法华为同教一乘，不及华严的别教一乘。但是，在天台说华严虽本是圆教一乘，而兼有别教之法。圆教是实，别教为权。华严既兼别教故带有权法，而不及法华为纯圆至实之教。

然两宗之争点，于吉藏法师之根本法轮和摄末归本法轮稍可释之。假若直从佛智的自证境界而说，佛的自证境界到最圆满者，实为华严；若从佛的大悲方面以言，佛的教化之圆满当属法华。又天台法华之圆，可以说是侧重于觉他方便之法；贤首华严之圆，可以说是侧重于自觉究竟之境。若总佛陀的全体大用以观，必须总摄二宗之圆义，方是智悲双足的佛法。

第五节　结　论

　　天台智者大师，在中国佛学史上为最博大圆融之一人。因此智者大师在当时，实集隋以前中国佛学的大成，其智力非其他祖师所可及。然而有可惜者，在当时虽亦有《摄论》、《地论》等译书，因其传弘不广，智者未多引用。其他若净土、禅宗、法相、真言等，或因印度未传，或因弘传未广，因此其学未能广摄。又大师于三藏，多弘于经而少弘论，亦一缺憾。

　　贤首时代，一切教法渐备，至清凉益为完备，兼其才智卓伦，大可综贯佛法，而建立一完备之中国佛学系统。可惜者，以其专弘一经，虽判释全藏佛教，而仍侧重于专弘扬己宗，排斥他宗。至对于佛教中世出世善法及小大性相显密等，未能组成一各如其分齐的安立。

　　复次，二宗历代祖师，皆各重自宗主观，而尚缺平视等量之客观的精神和态度。换言之，即对于释尊教法未能平等的观察和组织。因此，以今观之，反不及西藏宗喀巴菩提道次第之组织圆满。对于全部佛教既未能有圆满完善之组织，故结果只成为一家之学，一宗之义，而与他宗不能容摄也。

　　又天台于四教各论断证位次，其实圣教论中，只有小乘与大乘各别之教理行果。于藏教之上，另立通教之位次，于别教之上，另立圆教位次，及说四教之菩萨位次与佛果等，皆无确实根据。而贤首五教，更仿四教为各别之断证位次等，皆只可自成其说，而不能以佛法之根本圣教为衡量者。故吾人今后应从全藏佛教，更为根本的研究。

第四章
禅台贤流归净土行

　　中国佛学，一向称为台贤禅净，或禅净台贤；意谓台贤为教义，禅净是行门，故作如此分列。现在根据中国佛学分占的时代先后，次序为禅台贤净。因为此处讲的禅，不单是后来禅宗的禅，而是佛教传入中国最初即注重修禅的禅。由中国佛学所重在禅，依此重禅之特质，而演变为台贤的教义，后来又汇归净土行，故成为禅台贤净的次第。盖中国佛学重心，从开始到今，一直在禅；而天台教观盛于陈、隋；贤首教观盛于唐初；宋、元后禅台贤俱衰，余流汇归净土而转盛。兹溯念佛禅为净土行之滥觞，分四段来讲。

第一节　依教律修禅之净

　　念佛就是修禅，故有所谓念佛禅。不过依教修禅，

起初是安般禅和五门禅，而念佛禅的兴起，要稍微迟一
点。依教修心禅中的念佛禅，是净土宗的根源，这是无
可疑的，这就是现在讲的依教律修禅之净。此又分三节
阐述之。

一、无量佛刹

汉时支娄迦谶译出《般舟三昧经》，般舟即"一切佛
现立在前"之义。此一切佛，也就是阿弥陀佛，因为阿
弥陀佛译为"无量"，"无量"与一切是相通而不相违
的。故说一切佛立在前，即阿弥陀佛立在前。在五门禅
里说，多贪众生修不净观；多嗔众生修慈悲观；多痴众
生修缘起观；多散乱众生修数息观；最后多慢众生修无
我观，也有说为多障众生修念佛观的。平常说三宝，说
六念，也都是佛列在前。众生生死流转，烦恼业障深重，
而佛则已功德清净圆满，故以此清净圆满功德，可以对
治众生的惑业重障。我们如依佛陀的功德庄严为加持，
即易生起归向清净佛刹之心。即密宗亦由念佛观发生，
因为密咒等于佛名，都是果上的功德。以佛果的依正功
德为归向，即演成净土宗，摄佛果依正功德为自己，即
转为密宗。

《般舟三昧经》所说的念佛，是念一切佛无量佛，念
佛的相好、功德、法性。由此念佛的功德成就，即可感
得一切诸佛皆现在前。以佛果依正功德为观，不但是
《般舟三昧经》说到，如观佛相好功德海等，其他经论亦

多有其义。如《法华经》中说："临命终时，千佛授手，十方净土随愿往生。"这就是说，只要念经中的诸佛功德，即可感得诸佛前来接引。此所谓十方诸佛，就是无量佛刹的佛。这无量佛刹，修念佛观的众生，都可以随愿往生。

二、弥勒内院

在中国佛教史上，远在慧远以前就有修弥勒净土的。弥勒净土，就是兜率内院。虽十方诸佛的净土皆可往生，而弥勒内院最为切近，因为它就在娑婆——本土，而且在欲界——本界。故从《弥勒上生经》翻译出来以后，道安法师即专修此法，而求生兜率内院。印度来华传教的高僧，亦有修此法门者。唐时的玄奘与窥基，以弥勒净土为行持及依归。后来主张弥陀净土的大德们，多说弥勒净土不易修且不易生，或说不及弥陀净土殊胜。如智在的《十疑论》，道绰的《安乐集》，迦才的《净土论》等，都如此说。加以开示弥勒净土的经论比较少，修者亦不多，所以奘、基以后，弥勒净土即不大盛行了。而弥陀净土，则恰巧相反。不过，他们的辩论，都是从生兜率天而论，不是对于弥勒内院说的。若从内院说，如《弥勒上生经》说生兜率内院者，皆是发大乘心而不退转的；且说有三品修，如有犯戒而忏悔者，临命终时弥勒亦来接引。华严普贤行愿导归极乐，法华普贤劝发亦指归内院。故弥勒净土法门的不流行，不在胜劣或难易，而是唐以后的修者少，弘扬者少的原故。

三、弥陀净土

《般舟三昧经》中说的一切佛，也就是无量（阿弥陀）佛。《无量寿经》，于汉魏就已有翻译。故在慧远法师以前的僧显禅师，已由修习禅定，见阿弥陀佛而得往生极乐。但真正念阿弥陀佛求生净土的宗风，创于庐山慧远的莲社。慧远法师的德业，本不限于净土，如翻译经律，弘扬教义，修治戒定，及守护僧制等。但约创莲社于庐山来说，中国净土宗的初祖，却非他莫属。当时的莲社中人，六时行道，一意西归，如刘遗民著有《净土发愿文》，王乔寿曾作《念佛三昧诗》，远公序云："念佛三昧者何？思专想寂之谓也。思专则志一不分，想寂则气虚神朗。……又诸三昧其名甚众，功高易进，念佛为先。何者？穷玄极寂，尊号如来；体神合寂，应不以方。"他极力赞叹念佛三昧，但此种念佛三昧，不同后来与禅别行的专称名号的念佛，也是观佛相好、功德、依正庄严的。如远公定中三见净土，即是由念佛而得的三昧境界。故远公以前，虽有五门禅中的念佛禅，但专以念佛为修禅的，则创始于庐山莲社。

"依教律修禅之净"，即远公所谓"功高易进，念佛为先"者是。盖当时以念佛观为诸禅观中之最高者，所以念佛即是修习最上禅观。修持者都精依教义，严遵戒律，如慧远法师至死不饮蜜浆等，与后来脱离教义戒律之达摩禅不同，所以说为"依教律"。又既以念佛为最高之禅观，故不同于后人以修禅为难行道，别重持名念佛的净土为易行，所以说是"修禅之净"。

这种即是修禅的念佛法门，由庐山莲社便风行于南方，后由昙鸾法师又弘传于西北。但昙鸾已开别禅的兆端，故修禅的净，正以远公为代表。慧远法师以后，至唐初之善导，尤力事弘扬，朝野从化。于是这种法门，不惟普遍于全中国——中国人几至以"阿弥陀佛"四个字代表整个佛法——而且播及于高丽、日本、安南等地。由这样看来，就可知道华文佛教区和其他文字的佛教区大大不同。如藏文教区里佛陀的代表，是"唵嘛呢叭吽"而不是"阿弥陀佛"；巴利文区的锡兰缅甸等，不但没有修行净土法门的，连"阿弥陀佛"的名字也不知道。所以这种净土法门，可以说完全是由中国倡行的，是华文佛教区的特殊标帜。故讲中国佛学，不能不讲到净土行；而净土行之弘传者，尤不能不说到慧远法师。

第二节　尊教律别禅之净

从不立文字、不拘律仪、专以无相无名悟心为要的达摩禅风行以后，禅者不尊重教义与律仪，而修净土（此下皆约弥陀净土言）者则皆流为尊教律，而别异于禅的净土行了。此时的净土行，已与慧远法师者异。慧远法师等认念佛为最高禅观，故此念佛即修禅；而此期所修净土，则别异于禅，不但力斥禅宗之禅，即其余依教律所修诸禅观，亦皆简别为仗自力的难行道，而独以净土法门为依他力的行易道。总之，此尊教律别禅之净之"别禅"，不仅反对达摩禅，而又示别于其余的诸禅定。

关于这一类净土法门流下来的著作，以昙鸾法师的《略论安乐净土义》为最早。论明西方净土非三界摄，净土二十七种庄严，九品往生，解释"胎生"疑义及十念往生等，皆系依三经一论而立义者。

其次，有道绰法师的《安乐集》。绰师比天台智者稍迟，后昙师数十年。原是讲经的，后因慕昙师之风，转归净土。他特别注重持名念佛，教人用豆记数以念佛名。他在《安乐集》中分十二门，第三门即根据龙树菩萨的《十住毗婆沙论》而辨难行道和易行道，确立净土教义的宗本。西方净土离娑婆世界十万亿土，且又是极乐净土，娑婆人欲生西方，岂非很难？道绰在《安乐集》中，很巧妙的解释，祛除这样的疑惑。他以为娑婆世界是秽土中的最后，而极乐世界是净土中的最初，后、初相接，所以往生不难。我在北京讲《普贤行愿品》时，依《华严》所说娑婆一劫为极乐一日夜义，说极乐为净土之初。等到阅道绰法师的《安乐集》，始知不期而一分相合。绰师在《安乐集》里，又引大阿弥陀佛偈，多有非今无量寿佛经所有，似另有别本。又第十二门中，引《十念往生经》甚详，而这些经文都是现在所不传的。智者的《观经疏》，净影、慧远的《无量寿经疏》，亦出于此时。

唐时，与怀辉同为善导门人的怀感法师，著《释净土群疑论》，共有七卷。立说广而细密，且常涉及相宗教义。与怀师同时的迦才法师，著有《净土论》，亦多依相宗立义。这几种书，对于净土教义，讲的都很深细。怀感法师宗本道绰、善导，如说西方净土非三界摄等。迦才法师却随自意发挥，如谓西方净土亦容是三界所摄。这因为若就佛果讲，虽是无漏非三界摄，而就所摄众生讲，则可是欲界摄。二师同用相宗义，主张亦略有差异。

上来就教义的顺次讲，故先说到怀感、迦才；若就时间上讲，善导为早（日本以昙鸾、道绰、善导、怀感、少康为支那五祖），是唐高宗时人。故中国以善导为二祖，继有三祖承远，四祖法照，五祖少康，皆以感应神异著于世。

善导为净土宗之光大者，为中国最推崇之祖师，即在日本，亦以其为净土宗之主要人物。据僧传所记，善师见绰师的净土九品道场，喜云："修余行业，迂僻难成，唯此法门速超生死。"遂勤笃精修，昼夜礼诵。后至京师（即西安），激发四众，恒长跪朗诵佛名，非力竭不休。不念佛时，即为人宣扬净土法义。他教人专持佛名，不须作观。他以为"众生障重，境细心粗，识飏神飞，观难成就。是以大圣直劝专称名号，正由称名易故，相续即生。若能念念相续毕命为期者，十即十生，百即百生"。后来专持名号之念佛法门，即奠基于此。他又教人临命终时，相助念佛往生法，叮咛恳切。故善导法师实为中国净土宗风范之确立者。所著《念佛镜》，为宋杨杰及明莲池等所推重，以于净土教义，确有精要的发挥。

善导法师的著作，除《念佛镜》外，还有《观无量寿佛经四帖疏》、《观念阿弥陀佛相好功德法门》等，说到观想念佛的修法。可知他亦兼观想，不过提倡时偏重持名罢了。

从昙鸾法师以后，即有净土三经一论疏，道绰、善导等承之，便为净土宗的根本教典。而日本净土宗、真宗等大学，莫不尊为净土宗学。尤其是善导法师的《四帖疏》等著述之于净土，犹智者著述之于天台。

与善导同时，还有窥基法师，著有《西方要决》与《弥陀通赞》。《西方要决》与《弥勒上生经疏》义，每有不同，故有人怀疑此书不是窥基作的。

其时，高丽的元晓法师，到中国来，虽专弘贤首宗，而于净土法门，亦曾著《游心安乐道》以赞扬之。

日本所传净土宗的中国祖师，昙鸾为初祖，道绰为二祖，善导为三祖，怀感为四祖，少康为五祖。少康为五祖，与中国净土宗同，但前面的几祖，却与中国的所传不同。

少康法师是善导法师后一百余年的人，在洛阳白马寺见有经函放光，检视之即善导的《净土发愿文》，因之就往西安礼善导法师的祖堂，感得善导法师现身空中劝导，遂专修净土。并遵示至浙江新定，初以钱诱小儿念佛，后以念佛一声即现一佛之灵异，受化导者甚众。临终时，口中念佛出光，见光者为真弟子，必得往生。后人多谓其为善导法师的再来。少康本系直接遥承善导者，但在中国后代的推尊上，却与善导二祖之下，继以承远三祖，法照四祖。

承远法师，由宋石芝宗晓法师的《乐邦文类》，叙列为净土宗第三祖。承远与善导，本无如何渊源，而列之为第三祖者，盖以其苦行念佛，精诚感通，从化者极众之故。教义方面，无可稽考，但知其为南岳祝圣寺的开山。

法照法师本为修禅定者，因在定中见到西方佛座前有一褴褛僧人，询知为南岳承远法师，因至南岳，礼以为师，转修净土。后代宗皇帝奉法照为国师，遂推遵承远，封南岳为般舟道场，故后人礼祖师时，称为三祖般舟承远法师。

比善导稍后，有一位慈愍法师。《宋高僧传》谓："释慧日，唐高宗永隆二年生。出家后，见义净回国而有感，遂至印度。开元十年返长安，为玄宗说法，赐号慈愍。善导、少康，异时同化。"可知慈愍实为唐时净宗之重要人物，第以著作遗失，故后人对之不甚明了。日僧小野玄妙在所著《慈愍三藏之净土教》中云："然我慈愍三藏，为伟大之净土祖师，而后世一部分净土教徒，举昙鸾、道绰、善导、怀感、少康五人，称为支那净土

五祖，而不列慈愍三藏之名，盖以同一净土宗，而慈愍
三藏之净土教，与善导一流之净土教不相容耳。"此举
日本净土五祖，不以慧远法师为初祖，又无承远、法照，
而中国则并昙鸾、道绰、怀感皆未列入。盖中国净土祖
师，是依宋朝宗晓法师所推定的。宗晓以慧远为初祖，
以善导、法照、少康、省常、宗赜继为五祖。《净土指归
集》则以善导、承远、法照、少康、永明、省常、宗颐为
七继祖。然明朝蕅益等，亦有议其未周者。要之，净土
宗之被列为祖师者，大抵依其弘化之功为标准，非前祖
后祖之有何传承关系。元朝大佑法师依宗晓所传，以宗
赜为八祖，则易宗赜而以莲池为八祖者，殆又出之明清
之际。兹因小野之论，乃附述净宗诸祖之所传，有异
如是。

慈愍法师留学印度时，曾感观音菩萨现身说法云：
"汝欲传法，自利利他，莫过西方极乐世界弥陀佛国。
乃劝令念佛诵经，发愿往生，到彼国已，见佛及我得大
利益。汝自当知净土法门胜过诸行。"因之即决定专修
净土，回国后，唯以净土法门自行化他。不过，慈愍法
师并非但持名号者，虽认念佛为诸三昧之最易修者，亦
兼综教律禅行。故于偏执《金刚经》"若以色见我，以音
声求我，是人行邪道，不能见如来"；"凡所有相，皆是
虚妄"等义者，曾有详晰之评论。且持论多依唯识教
义，故谓无相是依理言，事上则有因果；果位上无相，
因位中有相；圣证无相，凡心有相：《金刚经》之说，乃

第四章　禅台贤流归净土行

遣遍计执耳。此可见慈师之深明唯识义，故见解与善导法师稍有不同。在他的《慈悲集》里，大斥离教律之禅，而赞扬依教律之禅，并谓依教律之禅与净土一致。故慈师为禅教一致、禅净合行、净律双修者。净土固为仗他力之易行，但念佛并非废除余行，故慈愍在《慈悲集》中，曾谓："圣教所说，正禅定智，制心一处，念念相续，离于惛掉，平等持心。若睡眠覆障，即须策勤念佛诵经，礼佛行道，讲经说法，教化众生，万行无废。所修行业，回向往生西方净土。若能如是修习禅定者，是佛禅定，与圣教合；是众生眼目，诸佛印可。一切佛法等无差别，皆乘一如，成最正觉。"此所说义，与善导所倡专持名号异，颇同后来之永明。但此仍是尊教律别禅之净，而未是永明透禅之净，盖尚在力斥宗门禅也。

法照法师比慈愍稍迟，亦以灵异化众，为净宗祖师。未专修净土前，已于教义禅定有根柢，后又尝苦修般舟行。至五台山感得文殊、普贤为现身说法："汝今念佛，今正是时。诸修行门，无过念佛。供养三宝，福慧双修。此之二门，最为径要。……故知念佛，诸法之王。……此世界西有极乐世界阿弥陀佛，汝当继念，令无间断，命终决定往生。"此感通中，教以福慧双修，念佛求生净土，颇近慈愍所行。且慈愍于印度，法照于五台，同感得观音与文殊、普贤说法，后人亦联称为三圣开示之净土法语云。

还要讲到的，就是在此一时期中，如道绰、善导、怀感、慈愍等祖师，对于离教律而别传的宗门禅，莫不痛加驳斥。在唐初又盛行三阶教，此教主要之理论，谓佛所说的一切法门，皆已不能适于此时之根机，唯有学《法华经》中所说的常不轻菩萨的苦行，方能成佛。此种理论，善导、怀感二师均辟之，怀感驳斥尤详。唐时的僧寺中，往往分设有三阶院、禅院，可想见其流行之盛。但不久息灭，宋时已鲜有知音。宋明后盛传之《念佛宝王三昧论》，系唐飞锡法师所作。上卷说念未来佛，中卷说念现在佛，下卷说念过去佛。上卷的理论全与三阶教同，中卷所说则为净土，足见此论系调和净土与三阶教而作。但宋明以后的人，不知三阶教，故亦尊为净土宗的要典，把它收入《净土十要》中。

还有两位居士，也应该说及。第一是与韩愈同时文起八代之衰的柳子厚，他著《东海若》一文，久为净土宗奉为重要文献。其次为白乐天，他是晚唐的大诗人，老年专修净土，有一首关于念佛的诗："余年七十一，不复事吟哦。看经费眼力，作福畏奔波。何以度心眼，一句阿弥陀。行也阿弥陀，坐也阿弥陀。纵饶忙似箭，不废阿弥陀。日暮而途远，吾生已蹉跎。旦夕清净心，但念阿弥陀。达人应笑我，多却阿弥陀。达又作么生，不达又如何？普劝法界众，同念阿弥陀。"由这首诗，可见他对于净土法门是如何诚信而笃行了。白居易曾参禅有悟，本可入于透禅融教律之净，但因他是在透禅之净的时代还未开始之间的人物，故仍归此期末尾。

第三节　透禅融教律之净

透禅与前别禅，有何分别？第一，在五代以后，依教律修禅者很少，仅有宗门禅独盛。第二，此时的净土行，必须是透过宗门禅而融摄教律的净土行。不透宗门禅，已不能修任何行，因此与前期斥禅修净者不同。它不但透禅，而且还要融摄一切教律。故真正能成为中国佛教主潮的净土禅，即在此一期。因为第一期即是修禅，第二期别禅修净，那两个时代的中国佛法主潮是禅、台、贤合宗，唯此第三期方可称为代表中国佛法的净土宗时代。此期修净土行的祖师，均为透宗门禅，而又能融通教律者。

关于透禅不透禅之别，这里引一段文即可知道。莲池《竹窗二笔》云："道镜、善导二师《念佛镜》，以念佛对种种法门，皆断云百千万亿不及，可谓笃信明辩。独对禅宗，亦谓观心观无生者，千万不能及，学人疑焉。予以为此正四料简所谓有禅无净土者，但执观心不信有极乐净土，但执无生不信有净土往生，则未达即心即土，不知生即无生，偏空之见，非圆顿之禅也。反不如理性虽未大明，而念佛已成三昧者，何足怪乎！若观心而妙证自心，观无生而得无生忍，此已与念佛人上品上生者同科，又谁轩轾之有也？"善导为未透禅而修净土，莲池之为透禅而修净土，其意昭然可见。盖莲池说明禅之最高境界，即与念佛上品上生同，已摄禅同净，更不烦排禅矣。此期兹分三段明之。

一、禅宗之净

净土宗远奉慧远法师为初祖，而透禅修净期，亦必尊永明寿禅师为开始者。因他力行念佛，其净土著述有《神栖安养赋》及《万善同归集》、《六重问答》等。为净宗奉作准绳者，有四料简偈，如云："有禅无净土，十人九蹉跎。阴境忽现前，瞥尔随他堕。无禅有净土，万修万人妥。但得见弥陀，何愁不开悟。有禅有净土，犹如戴角虎。现世为人师，将来作佛祖。无禅无净土，铁床并铜柱。万劫与千生，没个人依怙。"此四偈，亦有疑为后人伪托者，但无论是否出于永明之手，是这个时期之作品，则不成问题。在永明寿以前，中国佛教的禅宗，以演进到五家宗派的兴起为顶点。法眼为五家中最后创立之宗派，而永明寿为法眼第三传，亦即法眼宗最后一人。因为从它透禅融教律，而摄归于修净土行，其门徒都归宗净土，致法眼宗失传。其传于高丽者，今尚流传为一心念佛的顿门。

次有长芦慈觉宗赜禅师，它曾一度被尊为净土宗第八祖，有关于净土的著作颇多。其《莲花胜会序》云："以念为念，以生为生者，常见之所失也。以无念为无念，以无生为无生者，邪见之所惑也。念而无念，生而

第四章　禅台贤流归净土行

无生者，第一义谛也。是以实际理地，不受一尘，则上无诸佛之可念，下无净土之可生。佛事门中，不舍一法，则总摄诸根，盖有念佛三昧，还原要术，示开往生一门。所以终日念佛，而不乖于无念，炽然往生，而不乖于无生，故能生佛各住自位，而感应道交，东西不相往来，而神迁净刹。"由此可见，其为一透禅融摄教律之净土行者。

真歇清了禅师是普陀后寺的禅门开祖，为曹洞宗的大老，亦曾以兼提净土著名。其《净土宗要》云："弥陀不离众生心，是二无别，极乐遍在一切处，举一全收。……圣人善巧，示人专念阿弥陀佛。……见一佛，即见十方佛及九界众生，微尘刹海，一印圆了。"其要义如此，可见其为透禅而融贯贤首教者。

中峰明本禅师，为宋末元初临济宗巨匠。融通禅教律密净，晚年专修净土。现在流行的《净土忏》，即是他的遗著。他对于净土法门，不但自己笃行实践，尤能广以此法化他。《三时净土系念文》，传亦系彼所作。还有许多关于净土的诗偈，其怀净土诗云："莲池无日不花开，四色光明映宝台。金臂遥伸垂念切，众生何故不思来。"又云："清月黄昏礼忏摩，低头泣告老弥陀。轮回六趣知多少，誓愿今番出网罗。"即此可窥一斑。

天如惟则禅师，系明初禅哲，其被选入《净土十要》之《天如或问》中有答云："良由净土教门至广大，修法至简易，故闻者不能不疑。广大谓一切根机收摄都尽，上至等觉位中一生补处亦生净土，下至愚夫愚妇五逆十恶无知之徒，临终但能念佛悔过，归心净土者，悉获往生也。简易谓初无艰难劳苦之行，又无违误差别之缘，但持阿弥陀佛四字名号，由此得离娑婆，往生极乐，得不退转，直至成佛。"此虽只寥寥数语，然对净土法门之要义，几概括无遗矣。

楚石梵琦禅师，亦是明初临济宗匠。自幼每日清晨修十法念佛，求生净土。主持天宁时，筑室西偏，专修净业，默观极乐，依正庄严。作有《西斋净土诗》，为后世所传颂，被选入《净土十要》。临终时，对他的师兄噩曰："我去矣！"噩曰："子去何之？"曰："西方。"曰："西方有佛，东方无佛耶？"师振声一喝而寂。

憨山德清禅师，德业著述甚广，其《梦游集》中，开示净土行法亦多。有《念佛切要》云："念佛求生净土一门，元是要了生死大事，若不知生死根株，毕竟向何处念！若念佛的心，断不得生死根株，如何了得生死？古云：'业不重不生娑婆，爱不断不生净土。'是知爱乃生死根株，以众生受生死，皆爱之过耳。"这是开示断爱出生死的念佛法门。他晚年游云栖，深赞莲池，转趋匡庐，专修净土。

还有被奉为净土十一祖或十二祖的彻悟归禅师，清乾、嘉间人。初参禅，兼达台贤教理，主持广通禅寺，禅风大振。后因病而归修净土行，禅者多依之修净土。他的《彻悟语录》中有摄教义之百偈，每偈都冠以"一句

第四章　禅台贤流归净土行

弥陀"四字。兹录一二，明其概要。如云："一句弥陀，我佛心要。竖彻五时，横该八教。一句弥陀，白牛驾劲。其疾如风，行步平正。一句弥陀，第一义谛。尚超百非，岂落四句。一句弥陀，是无上禅。一生事办，百劫功圆。"可谓极其以透禅融摄教律而修净土行之能事，足为禅宗之净之殿军。

以上是这一期中禅宗之净的几个代表人物。以下叙述到几部书：一、《莲宗宝鉴》，是宋东林优昙禅师作。他志承远公，专弘净土。《莲宗宝鉴》分正因、正教、正宗、正派、正信、正行、正愿、正诀八卷，为净土宗重要典籍。二、《净土简要录》，明初道衍或即姚广孝集，不愧"简要"二字。三、《宝王三昧念佛直指》，明妙叶集，被选入《净土十要》。四、《归元直指集》，分二卷，宗本禅师集，本号一元子，内收重要文献甚多，亦为净宗要典。五、《净宗要语》，系鼓山永觉元贤禅师，就念佛净行及戒杀慈行而作，文分二卷。他承无明寿昌禅师之传，为明季曹洞宗之禅匠。六、《净土旨诀》，清初道霈和尚承永觉而作。七、《角虎集》，取永明"犹如戴角虎"义，录各宗禅师净土语要。八、《净土绀珠》，为光绪初年虚舟济能所集。其有可取者，为用法数增一编纂，如由一心增至四十八愿，有如增壹阿念之编纂法。

这里还得讲到的，是有很多居士，如宋文潞公彦博，悟禅修净，专念阿弥陀佛。尝发愿曰："愿我常精进，勤修一切善。愿我了心宗，广度诸含识。"在京师与净严等集十万人举行盛大之念佛会，如如居士赠诗云："知公胆气大如天，愿结西方十万缘。不为一生作活计，大家齐上度人船。"此可想见其盛况。复有给事中冯揖，号济川，亦彻禅修净，作有仿陶渊明的"西方安养兮胡不归"之《归去来辞》。

宋无为子提刑杨杰次公，得悟宗于天衣怀禅师，晚年修净土，命终坐化。有偈云："生无可恋，死无可舍。太虚空中，之乎者也。"或有问公："何往?"曰："西方。"曰："若生西方，则又错也。"曰："将错就错，西方极乐。"时有王古居士，作《净土指归决疑集》，公为序之。王古又为圆澄禅师序《净土宝珠集》，此二书均已失传。

宋进士王虚中，号龙舒，为净土宗著名的居士。所作的《龙舒净土文》，流传最广。自行化他，不曾稍怠，为后代居士弘扬净土宗各种著述之源泉。这是大家所熟知的，无须多讲。

明季袁宏道亦通禅修净，是当时有名的居士。他们三弟兄传为三苏后身，均善文章，在当时另成一公安派。晚年修净土，俱生极乐。中郎所著《净土合论》，其透禅融教律之意，上彻永明，已选入《净土十要》。虽教义似宗《华严》，然实本禅悟。其中以明西方净土为摄十方众生不可思议土，为最胜。然在他以前，怀感亦曾发此义。

还有《净土全书》，清俞行敏著，本《龙舒净土文》义而广之。《径中径又径》，是清道咸间苏抚浙人张师诚著，亦《龙舒净土文》之类，故均附此。

二、台教之净

　　谈到台教之净，应该仰追到高祖智者大师所著的《净土十疑论》和《观经疏》，因为这是台教修净的最大根据。然而这还是邻于修禅别禅之净之间者，而透禅以后的台教之净，应该首推被尊为莲宗七祖的昭庆省常大师，因为他是先修天台止观而后来才专修净土的。大概在宋淳化中，他在杭州昭庆寺仿庐山莲社创立净行社，当时加入他的净行社的，有比丘千余人，公卿士大夫百二十人。这些公卿士大夫，都是一时的显贵，如为首的王文正公旦，是做过宰相的。另有一位文章很出名的苏易简翰林，为作《净行社序》云："当布发以承其足，剜身以请其法。"可想见省常大师是怎样的受人倾信了。他领众念佛，精勤不懈，数十年如一日。到六十二岁时，厉声谓佛来了，随之而化。建塔于乌窠禅师之侧，被封为圆净法师。

　　次讲到四明知礼大师，平常都称为四明尊者法智大师，他是北宋间中兴天台教观的人。他也弘扬净土，曾根据智者大师《观经疏》而著《妙宗抄》，亦为净土宗要典。现行流行的《大悲忏法》，出于大师，系师率众所常修者。又尝念佛克期弃寿生西，当时的大文学家杨亿，函请留世，并问答净土要义。后数十年，有自称私淑弟子的待制陈瓘，号莹中，入台教室，著《三千有门颂》，

亦赞扬净土。他在《延庆寺净土院记》中云："明州延庆
寺住持比丘，每有讲席，以天台观行为宗。自法智大师
知礼，行学俱高，听徒心向，继其后者，又皆得人。……
普融无碍，然后空假俱中，分别未忘，不免权实互净。"
亦能扼台净之要旨。四明下天台，分为南屏、广福、神
照三家；至于修净土的，要算神照下所出的宗晓法师为
最著。

　　和法智同时同师的，有杭州下天竺的慈云忏主遵式
法师。著有《净土》、《金光明》、《观音》等诸《忏仪》，
所以称为慈云忏主。他常精勤念佛，发愿往生，被他化
导的人非常多，可说是台净传入民间的一个有力者。他
的著作，有《往生净土决疑行愿二门》及《净土忏法》，都
被选入《净土十要》里。又著有《晨朝十念法》，提倡十念
法门尤力。

　　再讲到灵芝圆照律师，他是宋代重兴律宗的祖师，
不过他的律宗与南山道宣律师稍异，而是宗天台教义，
又以净土为归的。所以律宗从此便与台净相倚了，故为
台净之巨擘。而民国以来的弘一法师，可为其嗣音。照
师初持慧布"方土虽净，非吾所愿，若使十二劫莲花中
受乐，何若三途极苦处救众生也"之见，后遭重病，在
病中览天台《十疑论》，始转崇净土。又由善导专杂二修
的分辨，乃专持名号，常忏悔初时反对净土的过非，发
愿弘扬净土，普度众生。

　　以上都是宋朝的。至明朝万历年间的幽溪传灯法师，

第四章　禅台贤流归净土行

又为明代重兴天台教观的人。著述甚富，尤力弘净土，要旨见于他所著的《生无生论》，蒨益也收入《净土十要》里。论立十门：一、一真法界；二、身土缘起；三、心土相印；四、生佛不二；五、法界为念；六、境观相吞；七、三观法尔；八、感应任运；九、彼此恒一；十、现未互在。洵能摄天台圆境观于一句弥陀中者。有《净土法语》，亦甚剀切，可谓台净之极则。

灵峰蒨益大师，名智旭，他和莲池、紫柏、憨山，称明末四大师。他理解闳深，学问丰富，行愿专在念佛往生。起初，他所学不拘于一宗，后来却承天台的嫡传，同时亦为净土宗的第九祖。关于他弘扬净土的著作，以《弥陀要解》为最，称为绝唱。曾选《弥陀经要解》以至袁中郎《净土合论》为《净土十要》，后由弟子成时坚密法师评点叙述，精刻行世，诚为净土宗最精粹之宝典。

虞山普仁寺行策截流法师，是清初顺、康间人。其初亦曾习天台教观，后来专修净土，精勤修持，不遗余力，因而信从者甚众。留有《净土警语》与《七期规式》各一卷，虽文字不丰而简洁精警。其谓禅净二门，宜各专务，不必兼修。《七期规式》，为清代以来打念佛七的滥觞。近由印光法师推为净土十祖，不无卓见。

杭州梵天寺省庵思齐法师，他为清雍、乾间人，在天台宗的传承上，他是灵峰下第四代。由彭二林居士集其语录并序之，文义亦甚精约。尤其传诵于佛教缁素者，为所作《劝发菩提心文》，其第九《为求生净土故》有云："在此土修行，其进道也难；彼土往生，其成佛也易。……下菩提种，耕以念佛之犁，道果自然增长。乘大愿船，入于净土之海，西方决定往生。"阐发净土宗旨，最为扼要。并在宁波阿育王寺倡设涅槃供佛舍利会，用胜美的供品，多有陈列金银珠宝为供的。直到现在，这种供佛会仍续行未衰。后亦被尊为净土宗祖师。

关于台净的书籍，首应提到《净土十疑论注》，此是智者大师弘扬净土的要论。宋初，有澄彧法师所撰的《十疑论注》，修《续高僧传》的赞宁僧正为之作序，现存续藏中。

还有《乐邦文类》，共五卷，是南宋间四明石芝宗晓法师撰。首卷，采集经论要义；二卷，集序跋文赞等；三卷，集记传，关于净土宗初祖以及五继祖传亦在其中；四卷，集杂著；五卷，集赋铭偈颂诗词。要续以遗稿两卷，摭拾前五卷所遗漏的。洵为南宋以前，除各大经论疏注外之净土文献集成。卷二中，录存南宋初昆山子元法师之《十门告诫》中的《圆融四土选佛图》。子元，号万事休，专修净土。高宗乾道二年，召至德寿殿演说净土法门，赐"劝修净业白莲导师慈照宗主"之号。

《净土指归》二卷，义分十门，乃元、明间苏州北禅寺大佑法师集。大佑亦台教而修净者。其《指归集》之第一《原教门》"莲社立祖"条，曾载宗晓立慧远至宗赜为净宗八祖，余所录亦俱扼要。永明四料简偈，亦载其第三法相门内。且与《归元直指》同有破斥性命双修等类之仙道邪说，可见其时先天道等已有萌芽也。

《西方直指》，乃渌田一念居士编，自序有云："袁中郎撰《西方合论》，为参禅未悟者告；余著此书，则为未闻西方者告。"直叙念佛行法，及经论祖师指归、证验持戒等，平实简明。

还有道光间的悟开法师，居灵岩山下宝藏寺，以净土法门自行化他，撰《净土知津》，一名《念佛百问》，颇便初机。《莲宗正传》，以远公至彻悟为十一祖，亦其所著。

三、贤教之净

贤首宗唐季衰歇，宋时虽复兴而不盛。古传有圆澄法师著《华严念佛三昧无尽灯》，宋范成大居士尝为之序行，其书已佚。故由贤教修净土，须至云栖莲池袾宏，始卓然为一代大师。明季研讲贤首教义者渐多，如雪浪等，五教仪亦在莲池前后编集出来，故莲池《弥陀疏抄》，即专奉《华严疏抄》为家法。莲池重律，后宝华律宗亦近贤净。师固曾参禅悟入，然未据禅席，但开云栖，专修念佛。云栖法汇百余卷，皆教宗贤首行专净土，而融通禅律及各家教义之至文。不惟明季来净土宗风之畅盛得力于师，亦为净土宗上下千古最圆纯的一人。念佛七礼祖，至今亦多仅礼至八祖云栖者，对师从无间然。《净土发愿文》及注，《四十八愿问答》，《净土疑辨》，尤为切要。

彭际清名绍升，就是二林居士，堪称以华严教义弘扬净土之继起者。以僧众之研贤首者，多近禅宗，不弘净土，故清代僧林虽每讲《弥陀疏抄》，而绝鲜贤教兼修净土之宗师为继。然居士中则大不乏人，尤以二林居士称古近之最。居士宗教均彻，著述宏富，而无不纶贯以宗本华严，倡行净土之意。著《居士传》、《善女人传》、《一乘决疑论》等，而重订《西方念佛警策》、《往生传》，尤为净宗要典。其他《二林居士诗文集》非一。同行有汪大绅、罗有高等，不逮公之专勤。公乾隆时进士，文章亦著于时，尝函袁随园论佛法，护教宏法甚殷。《省庵语录》亦其所编。净土宗为中国佛法主潮，亦至莲池、省庵、二林达其极。

杨文会仁山石埭居士，刻行日本传归佛典，并拟复兴印度佛教，设祇洹精舍，吾亦预学其间。居士功名早著同、光间，而设金陵刻经处，专弘佛法，则在光、宣间。今之支那内学院等，即从此流出，故为中国近代佛学重昌关系最巨之一人。尝自言"教宗贤首，行在弥陀"，笃修净土，数十年无间断。一时居士之受其化者，遐至英、法、印、日。所著《等不等观》中，与幻人法师辨法华义，与日僧辨真宗义，均甚精彻。彭二林至杨石埭间，有魏默深、王耕心等。同时者，有编《净土报恩论》之桐乡沈善登，亦曾通书问。还有袁兆鸾《莲修起信录》，颇芜杂，但《悟本法师传》尚佳。

贤净典籍，则《净土资粮全集》，为亲承莲池之庄广还复空居士所集，文丰而寡要。《净土晨钟》十卷，清顺治间周克复居士集，亦遥承云栖之化者，可为净土宗巨著，文义较《资粮集》为周正。《西归直指》，即印光法师印行甚广之《安士全书》中之一种。安士姓周，名梦颜，清康熙间人。著《欲海回狂》以止淫，《万善先资》以戒杀，而此书则直以西方净土为归，文义简易，不愧直指。另有《启信杂说》一卷，亦使人于净土断疑启信者。《净土切要》，道、咸间真益愿居士著，于净土宗固为切要；而内有劝从根本处修一条，着重君仁、臣忠、父慈、子孝等人伦道德，后为印光法师所本。《修西辑要》，光绪时杭州复庵法师辑，亦承云栖之化者。

上将透禅融教律的禅宗之净、台教之净、贤教之净，均已略明其概要。然此三系亦非可划然分界，以均透禅而兼明台贤教律，特就其较偏显者略疏别耳。此期禅净，得六、永明，十二、彻悟两祖；台净，得七、圆照，九、蕅益，十、普仁，十一、省庵四祖；贤净，得八、莲池一祖。

第四节　夺禅超教律之净

宗门禅乃超教律的。别禅、透禅之净，对教律均尊之融之，而与宗门禅抗。至此期，乘禅之衰，转由净土宗承袭其超教律，且倚透禅之势而夺禅，而成为仅存孤

零的念弥陀名号之势。幻人（印光法师曾与争辩）法师
以"昔玄奘携所取经，过河落水，晒河岸石上，被一龟
食尽，今只存阿弥陀佛四字"讥之。然"履霜坚冰至"，
非一朝一夕之故，乃溯源竟委，略为分叙。

一、泛源

善导承道绰，高唱一切佛法皆自力难行，唯净土他
力易行。并于释众疑惑门，对三阶，对弥勒，对坐禅，
对讲经，对持戒，对六度，并云念佛胜百千万亿；又排
杂修，以持名记数为专修，已开厥端。后永明亦重记数
持名，四偈料拣之无禅有净与有禅无净，相别天渊。
《径中径》又径载宋丞相郑清之曰："人皆谓修净土不及
禅教律，吾则谓修禅教律法门莫及修净土。……以禅教
律假设方便，使从门而入，俱得超悟；唯无量寿佛，独
出一门，曰修净土。如单方治病，简要直截，一念之专，
不问缁白，皆可奉行。但知为化愚俗浅近之说，其实则
成佛至捷之径。……不由禅教律而得戒定慧者，其唯净
土之一门乎！……不施棒喝而悟圆顿机，不阅大藏而得
正法眼，不持四威仪而得大自在。……当是时也，孰为
戒定慧？敦为禅教律？我心佛心，一无差别，此修净土
极致也。"他若优昙、妙叶、天如、莲池、蕅益、行策、
彻悟等，亦时有此类提倡。彻悟之："净土一门，最初不
待悟门，末后不待发慧，不须忏业。一句弥陀，不杂异
缘，十念成功，顿超多劫。于此不修，真同木石；舍此

别修，非狂即痴。"语更激切。然以上诸德，不过教学者
决疑定信，非必令尽废其余也。

二、切因

满益学人成时坚密法师，于十要序，出持名三大要：
"一者，六字洪名，念念之间，欣厌具足。如出狱囚奔托
王家，步步之间，欣厌具足。是故万缘之唾不食，众苦
之愁莫回，高置身于莲华，便订盟于芬利。蛆蝇粪壤，
可煞惊惭。二者，参禅不可无净土，为防退堕，宁不寒
心。净土不可入禅机，意见稍乘，二门俱破。若夫余宗，
在昔之时，不必改行，但加善巧回向；在今之世，只可
助行，必须净业专修。冷暖自知，何容强诤。三者，一
句弥陀，非大彻不能全提，而最愚亦无欠少。倘有些子
分别，便成大法魔殃。只贵一心受持，宁羡依稀解悟。"
依此自行化他，一废万行，二废参禅，三废学解矣。

清同、光间，玉峰古昆法师（建杭州弥陀佛寺，刻
《弥陀经》于石。光绪十年，由汶溪西方寺净果礼请为师
终老。余于光绪三十三年始于西方寺阅藏），专奉坚密
三要。与其学者妙能、照莹等，集《净土随学》、《净土
必来》、《莲宗必读》、《净土神珠》、《净业通策》等书，
力主信深愿切，专重记数持名。谓不记数持名，即非信
深愿切。石刻《弥陀经》，书字之沈善登居士，亦持
其说。

沈善登学问通博，集《报恩论》二卷，答问杂说二十

五则，护教弘净殊精辟。主儒佛二教，谓道非教；已涉西学，并致书杨文会居士，研求日文、英文、梵文佛典，其集中附有修改之《玉峰一法治四病说》，亦名《念佛四大要诀》，谓念佛有贪静境、参是谁、离妄想、求一心四病，治以一法，曰出声记数。每日定数，开口散念，终身不改，即是信深愿切。谓静境是四禅八定，偈曰："称名为动，坐禅为静。舍动取静，堕坑落窜。"参谁是骑驴觅驴，偈曰："念佛为直，参谁是曲。舍直取曲，瞎人天目。"妄想不须断，只须散念有恒，偈曰："带惑超横，断妄出竖。舍横取竖，弥陀叫苦。"一心不乱，只是出声散念佛名，无间无休，偈曰："散念为易，一心为难。舍易取难，过头狂谈。"依此，则一不可修定，二不可参禅，三不可伏断妄想，四不可摄散归一。于深信切愿下，但长时记数持名，并特重晨朝十念而已。

三、硕果

综上源因，而充盈成熟为硕果，则成莲宗十三代灵岩印光祖师之净土（依悟开法师所订者应为十二祖，以印师在九祖后加行策为十祖，命终后其学人依次递推，遂居十三）。印师在民初五六年间，吾固时挹清话。功潜清季，化著民初。他本习儒书，且尝辟佛，后皈佛出家，博通教义，兼达宗门，诚为一大通家也。本身虽是一大通家，而却教人不学通家。但他对人说话，亦应变而不锢，非玉峰堪及。就其对一般人之倡导，以告李天

第四章　禅台贤流归净土行

桂"力敦伦常，精修净业"之八字，已尽范围。其《净土决疑论》云："药无贵贱，愈病者良；法无优劣，契机则妙。在昔之时，人根殊胜，知识如林，随修一法，皆可证道；即今之世，人根陋劣，知识希少，若舍净土，则莫由解脱。"又致大兴善寺体安书云："教理行果，乃佛法之纲宗；忆佛念佛，实得道之捷径。在昔之时，随修一法，而四法皆备；即今之世，若舍净土，则果证全无。良以去圣时遥，人根陋劣，匪仗佛力，决难解脱。夫所谓净土法门者，以其普摄上中下根，高超律教禅宗，实诸佛彻底之悲心，示众生本来之体性。汇三乘五性，同归净域；导上圣下凡，共证真常。九界众生离此法，上不能圆成佛道；十方诸佛舍此法，下不能普利群生。所以往圣前贤，人人趣向；千经万论，处处指归。自华严导归以后，尽十方世界海诸大菩萨，无不求生净土；由祇园演说以来，凡西天东土一切著述，末后俱归向莲邦。"又每示人以："父慈子孝，兄友弟恭，夫倡妇随，各尽己分。主敬存诚，克己复礼，明因识果，期免轮回。诸恶莫作，众善奉行，信愿念佛，求生西方。"要之，则"敦伦善世，念佛往生"而已。

核其关隘，在"今世人根陋劣"一言。不然。何以以一大通家，而专切如是耶？昔三阶教亦尝以末法根劣，致废所余一切禅教律，然非不知"法若当机，皆可成佛"，则他人不能斥其无知矣。然限以今世当机，则除净土，余皆可废。而于世善，复崇儒术，则佛之律仪戒善亦不须弘，而佛法仅存真信切愿念弥陀佛矣。又恒力阻男女出家，虽有鉴僧弊，消极止滥，亦由崇儒家伦常为善；但须信愿念佛，带业往生，更不须增上戒定慧也。故充其类而一转，大可成为在家净土行之日本真宗。

四、转流

承印师之化，而确信弥陀净土，切愿命终往生，定课每日念佛（或仅十念）之士女，虽惑业炽然，在临终有往生征验者，闻已有多人。然愿为无行之空愿，行仅称名之散念，获征验者又多属在家士女。则依印师所言能起确信，实全恃信任弥陀他力而致此；则日本本愿寺所谓"祇信他力"之真宗，跃然欲出。真宗教义以解行证信为次，信立则心身已全倚任弥陀，安住极乐，更不须愿行矣。故彼宗纯在乎信，愿则属于弥陀本愿，正为信任之他力，非在人边，往生不在命终，而在信决心安之刹那，此刹那信心常续，即为已生净土。行则乃已生净土，而再应化于人间之所行，只随人群所宜，以学以教而已。在中国儒化中，可习行儒学，在今科学哲学艺术化中，亦可习行科哲文艺学术，故日本僧徒皆在家化。其大学于宗学教学之外，又能博综科哲文艺之学术者也。

日本之净土宗，传自中国之善导系。其后分流出之时宗、融通念佛宗，也不越中国台贤之净。而一至于从

第四章　禅台贤流归净土行

净土宗演出之真宗，则迥然大异，故杨仁山居士力斥之。然演变至夺禅超律之净，世善遵儒行，而出世仅存信愿念佛，其空愿散念，只赖纯信，殊有进为"纯信弥陀他力"之真宗可能。然尚期命终往生，而无真宗"信成已生，还化利他"之行，则所短远矣。

第五章
中国佛学之重建

第一节　略指所依

中国佛学之重建，是中国佛学的一个结论。其中第一须依我讲过的第三期佛法判摄，与中国佛学大纲为基本。

第二节　教史概观

中国佛教史概观，是廿年前曾经在武昌佛学院讲过的。中国佛教自东汉从印度传进后，一直到东晋道安法师这一阶段，是为中国的初期佛教。

第五章　中国佛学之重建

一、主流　这一期中的佛教，正是源泉浑浑，尚未有宗派的成立，至道安法师，便奠定了中国佛教的主流基石。把以前的佛学都综合起来，作了一部综理众经目录，能在诸经中提出佛法要旨来。而他最大的特点有四：1. 本佛，可以说是佛本论。就是在他的直承于佛，推本于佛，而非后来分了派别的佛教。佛是总括行果、智境、依正、主伴的，如道安主张以释为姓，亦是一个表征。2. 重经，因他是本佛的，所以其次便重佛所说的经，以包括律论，决不以论为主。3. 博约，就是他能够由博览而约要，一面固须博览群经，但又要从博览中抉出诸法的要旨。4. 重行，即依所约要旨，而本之去实践修行。由是而即教即禅之主流形成，直承此主流而增长的则为慧远等；直为根柢滋养者，则为安世高、昙无谶，实叉难陀译经等。故天台、贤首、宗门下及晚期净土行诸祖，虽叠受旁流的影响，仍还由保持着这主流而演变下来。

二、旁流　其次，另外有两个辅助的思潮：一为承传龙树提婆学系的罗什等；一为承传无著、世亲学系的流支、真谛、玄奘等。这二思潮叠曾影响主流起变化，并吸收而又消化在主流里。如天台把三论判为通教，并认为不圆满；但它不能成为主流，不过愈使主流扩大而充实罢了。它有着与道安相反的四个特点：1. 本理的，它不像道安的直本于佛，而所本的是空或唯识的理（以整个佛果言，理为境之一分）。2. 重论的，因为是本理的，所以他们并不直据佛说的经，只以发挥此理的各祖师所著的论典为重。3. 授受的，因为重论，因此他们的思想也便拘入几部论的范围内，传授而承受，不能博取佛一切经而发挥伟大的创作。4. 重学的，他们平常都孜孜钻研讲说，而不能往经中摘取要旨去修行证果。

三、表摄　这两支旁流，使主流影响而变化。在中国佛教史概观上，它即是助成主流，以成台贤禅净之发展的，而主流亦兼摄律与密以佐其行。略表明其大概如下：

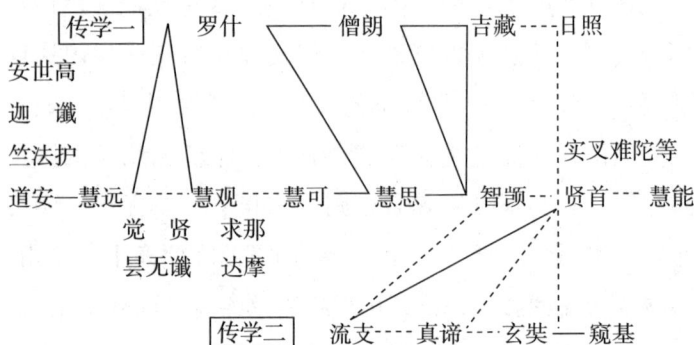

第三节　博究融汇

禅台贤净，应探究汉文及融摄巴利文、藏文、日文之教法，中国佛学的所以要重建，因为末流的禅净已非常贫乏，台贤也不充实，故必探究汉文的一切佛典，并融汇巴利文、藏文及日文的佛学来充实，这有四段：

第五章　中国佛学之重建

一、安般禅、五门禅之探摄　初传安世高等禅数之学，数就是毗昙法数，它即是一切阿毗昙论，而毗昙所本即五阿含、四部律等。如是异部诸论，乃至后传的《俱舍》、《成实》等，俱应研究，并融汇锡、缅所传的巴利三藏，充实而趣于实践修行。

二、实相禅、天台教之探摄　实相禅及由演出的天台教义，应探本于《法华》、《般若》、《涅槃》等诸经及龙树等论，并贯通小大显密经论律咒。

三、如来禅、贤首教之探摄　如来禅及由演出的贤首教义，应探本于《华严》经论，及马鸣、坚慧诸论，精研《楞伽》、《深密》诸经，无著、世亲诸论，并贯通小大显密经论律咒。

四、念佛禅、净土行之探摄　念佛禅及由演成别禅透禅之净土教行，应探本于念佛观，及净密各经论咒轨，研究融汇日本净土真宗及西藏密宗。

这里提到这许许多多方面，以必如此，方使主流之禅台贤净不致空虚贫乏，中国佛学乃格外充实扩大，而可为重建的深厚的基础。

第四节　综摄重建

普融前义，开建人乘趣大乘行果之佛学，这就是把前面的重要意义，普遍综合，融通贯持起来，如我第三期判摄佛法所明的。这不但是中国佛学，也是通于世界的一切佛法。所以普遍融摄前义，来开建依人乘趣大乘行果的，乃可重建中国佛学，并成为适应现在世界的佛学。因为在这个时代里，如果是脱离现实人生，或否定他或与他毫无关系而来阐扬佛法，无论在中国在世界，都是说不通而且不可能的。必须要讲明，佛法乃是发达人生的学理，乃可通行。以前我曾说过"仰止唯佛陀，完成在人格"的话，而一般人或又误会成佛只不过是完成一般人的人格罢了，因而把佛法低陷到庸俗的人类生活中。其实我说的，乃是说："从现实人生中，去不断的改善进步，向上发达，以至于达到圆满无上的人格。"盖人格的圆满，是要到佛才圆满。所以在世界上先造成君子贤圣一般人的人格，固未尝不是人格，惟佛陀的人格，却非以此为满足；必须从完成普通人格中，更发大菩提心，实行六度四摄普利有情的菩萨行，不断的发展向上，以至于成佛，乃为圆满的人格。所以，直接脱离或否定现实人生固不可以，而绝对地去和世界一般人混在一块儿，失去发达人生向上的菩萨行，致陷佛学于世俗的人生范围内，尤为未善。必须不仅有平常做人的标准德行（人乘），而能依此更趣向大乘的菩萨行，以完成宇宙人格最高峰的佛果。

中国佛学能在新世界中成为世界性的佛学，非但要主持教理的人能够阐明佛教发达人生之真理，依之以趣大乘行果，并须在人间实行六度四摄菩萨道，以尽力推

第五章　中国佛学之重建

行佛教利益人生的事业。如果不能这样，世人必仍目为空谈，而不能见之于事实者，便足为佛教衰落之因素。六度四摄的实行，可详于瑜伽菩萨戒，故我亦尝说过"行在瑜伽戒本"的话，这尤其是主持佛教者所必须遵依奉行的。

这就是中国要重建的佛学：一、普遍融摄前说诸义为资源，而为中国亦即世界佛教的重新创建；二、不是依任何一古代宗义或一异地教派而来改建，而是探本于佛的行果、境智、依正、主伴而重重无尽的一切佛法。其要点乃在（甲）阐明佛教发达人生的理论，（乙）推行佛教利益人生的事业。如是，即为依人乘趣大乘行果的现代佛学。

图书在版编目（CIP）数据

佛学指南／太虚大师 著.—北京：东方出版社，2014.1
（佛学入门四书）
ISBN 978-7-5060-7212-0

Ⅰ.①佛… Ⅱ.①太… Ⅲ.①佛学−指南 Ⅳ.①B94−62

中国版本图书馆 CIP 数据核字（2014）第 019043 号

佛学指南

（FOXUE ZHINAN）

作　　者：太虚大师
责任编辑：贺　方　王　萌
出　　版：东方出版社
发　　行：人民东方出版传媒有限公司
地　　址：北京市西城区北三环中路 6 号
邮　　编：100120
印　　刷：北京市大兴县新魏印刷厂
版　　次：2014 年 4 月第 1 版
印　　次：2021 年 5 月第 5 次印刷
开　　本：880 毫米×1230 毫米　　1/32
印　　张：7
字　　数：112 千字
书　　号：ISBN 978-7-5060-7212-0
定　　价：22.00 元
发行电话：(010) 85924663　　85924644　　85924641